【收藏与投资·旧纸币鉴赏】⑧

西部地区各省银行旧纸币图录

主编：许 光 梁 直

编委：曾 诚 黄 辉 冯志威
钱伟林 李华辉 李志勇
邱 敬 张东民 李志豪

黑龙江人民出版社

图书在版编目(CIP)数据

旧纸币鉴赏/梁直主编.—哈尔滨：黑龙江人民出版
社，2005.1
　（收藏与投资）
　ISBN 7-207-06466-

　　Ⅰ　.　Ⅱ　.　Ⅲ.①纸币-鉴赏-中国②纸
币-收藏-中国　Ⅳ.G894

中国版本图书馆CIP数据核字(2004)第133864号

责任编辑：王　爽
封面设计：王　绘

收藏与投资·旧纸币鉴赏

许光　梁直　主编

出版发行	黑龙江人民出版社出版发行
	（哈尔滨市南岗区宣庆小区1号楼）
制版印刷	深圳市森广源实业发展有限公司
开　　本	889×1194毫米　1/32
印　　张	80
字　　数	200 000
版印次	2005年3月第1次印刷
印　　数	001-980
书　　号	ISBN 7-207-06466-7/G·1513
定　　价	570.00 元(全套15册)

前　言

　　中国纸币的起源很早，至今已有九百多年的历史，据考证，中国是最早使用纸币的国家。历史悠久、数量繁多的中国纸币，见证了历史的进程，记录了经济兴衰，反映了社会民生。

　　纸币的历史和收藏价值随着时间的变迁、年代的更换在不断丰富，从研究中找寻乐趣、从收藏中总结规律，学习提高与收藏鉴赏能相辅相成，这使我们的纸币收藏人士的水平和鉴赏能力不断提高。

　　收藏纸币必然涉及到经济，纸币收藏者的收藏途径以下述三种情况为多：①以票养票。②以其它的渠道收入来补充藏品。③以投资的角度来购进。但收藏的市场价格波动、变化较大，不易界定及掌握。应众多纸币收藏爱好者的提议及帮助，本系列图录的主要特点为紧贴市场，希望能给同行们作相对客观、和相对确切的价格参考。

　　本系列图录的编排顺序以年代为主，性质为辅，包括清代纸币、民国时期四大国家银行纸币、民国时期各省地方银行纸币、商业银行纸币、洋商客钞、日伪政权纸币、军事用纸币等内容，图片、数据、文字相结合，希望能给读者带来帮助。

　　由于旧纸币所涉及的种类繁多、数量庞大、版别复杂，本书存在的疏漏和缺点恳请读者和行家们批评补正。

凡 例

一、 书中对纸币的年份、图案、票幅、刷色和印刷单位均有说明。

二、 由于篇幅的限制和排版的要求，所收录的纸币彩图有适度的缩小，实际尺寸均标注说明，计量单位为mm。

三、 纸币的年份一般均按实物印刷年份，而发行年份则是纸币的实际发行年份。书中年代以中华民国纪年为主，公元纪年为辅，如特殊纸币另作说明。

四、 同面值的纸币，由于加盖不同的地名、不同人士的签名、不同字轨的区别版式，尽当录入。

五、 凡试模票、样张、注销票，其收藏价值相对要比流通票高，但并非绝对。此类票品因其特殊的性质和用途，其收藏价格往往变化较大，有价格比流通票高2倍以上者，亦有比流通票价格低者，须依供需关系等因素互相商斟。

六、 本图录参考价以人民币元为单位，由多位行家综合全国钱币收藏行情仔细分析和标定，相对准确及客观。但由于交易的最后价格由买卖双方最后商定，本标价仅供收藏交换时参考。标价为全新品相。其它等别由读者视实际情况灵活商酌。

      全新——未使用、无摺痕、无污渍、无污染、未沾水，清洁坚挺、四边完整直角。

      上品——使用过，保存完好无破损，币面干净，光泽度高，允许有轻微折痕和少量褪色。

      中品——使用后保存基本完好，图文仍清晰，允许有折痕和少量污染，无明显撕裂。

目　录

云南富滇银行 ······ 1

云南富滇新银行 ······ 18

云南省银行 ······ 24

云南个碧铁路银行 ······ 26

云南官商合办殖边银行 ······ 29

贵州银行 ······ 33

贵州省银行 ······ 40

山西省银行 ······ 44

晋绥地方铁路银号 ······ 65

西北银行 ······ 68

四川浚川源官银号 ······ 82

四川官银号 ······ 83

四川地方银行 ······ 87

四川省银行 ······ 89

陕西秦丰银行 ······ 93

陕西富秦钱局 ······ 96

陕西富秦银行 ······ 102

陕西省银行 ······ 105

甘肃官银号 ······ 113

甘肃平市官钱局 ······ 115

甘肃农民银行 ······ 118

甘肃省银行 ······ 119

青海省银行 ······ 121

青海实业银行 ······ 121

宁夏省银行 ······ 123

宁夏银行 ······ 125

绥远平市官钱局 ······ 127

绥远省银行 ······ 137

西康省银行 ······ 139

新疆省商业银行 ······ 144

新疆省银行 ······ 157

云 南 省

云南地处我国西南边疆，东与广西、贵州为邻，西与缅甸、印度接壤，北邻四川，南与越南为界。因位于云岭之南而得名，简称云，又因境内有滇池，又简称滇。战国楚为滇国地，宋时分属南诏和大理国，清置云南省。全省面积39.4万平方公里，是中国西南部的大省，省会昆明市，有"春城"、"花城"之誉。

本省地处云贵高原，除西部为高山峡谷区外，余为高原山地区，高原山地约占总面积的90%。属热带—亚热带高原湿润气候，东部高原四季无寒暑，西部峡谷十里不同天，兼有热带、湿带、寒带气候。

银行发展简史

- 民国元年(1912)2月1日，云南财政司成立"**富滇银行**"，总行设在昆明，并有河口、个旧、昭通、上海、香港等分支机构。发行银元券1元至100元5种，初期信用尚可。
- 民国5年(1916)，唐继尧借口反袁护国，欲以武力图川，军费剧增，财政支出浩大，被迫滥发纸币，致使币值大跌，物价飞涨。
- 民国8年(1919)，"**云南殖边银行**"成立，脱离与北京殖边银行总行的关系，由地方官商合办。
- 民国17年(1928)，云南殖边银行停业，纸币回收。
- 民国21年(1932)9月，龙云掌握云南政权，将富滇银行改组为"**云南富滇新银行**"，总行设在昆明，李培炎任行长。规定新富滇币2元换国币1元，以后还发行了铜元券。云南富滇新银行成立后，因政府实施政策到位，使新滇币在云南推行法币之前成为云南惟一的合法货币。1935年推行法币政策，1942年国民政府规定全国货币统一由中央银行集中发行，云南富滇新银行发行权被剥夺。
- 1949年4月1日云南省实行币制改革，宣布恢复银元流通，新滇币退出。
- 1949年7月1日云南省银行成立，总行设在昆明，发行定额本票及兑换券。

云南富滇银行

民国元年(1912年)银元票

编号	面额	票幅(mm)	刷色	印制	备注
F-1	1元	110×138	蓝、黄、棕、黄		有图
F-2	5元	110×138	灰/		有图
F-3	10元	116×156	赭、绿、橄		有图
F-4	50元	123×160	紫、黄/		有图
F-5	100元	123×160	桔、黄/		有图

民国2年(1913年)

编号	面额	票幅(mm)	刷色	印制	备注
F-6	1元	83×125	橄/橄		有图
F-7	5元	98×154	棕/		有图
F-8	10元	110×160	橄/		有图
F-9	50元	123×172	棕/		有图
F-10	100元	131×183	蓝/		有图

民国5年(1916年)拥护共和纪念币

编号	面额	票幅(mm)	刷色	印制	备注
F-11	1元	82×125	棕、绿/棕、绿		有图
F-12	5元	90×140	橄/		有图
F-13	10元	90×148	蓝、黑/蓝、绿		有图

民国6年(1917年)

编号	面额	票幅(mm)	刷色	印制	备注
F-14	1元	72×123	绿、黄/绿		有图
F-15	5元	72×130	蓝/蓝		有图
F-16	10元	72×130	绿、黄/绿	财政部印刷局	有图
F-17	50元	82×142	棕/		有图
F-18	100元	87×155	桔/桔		有图

民国7年(1918年)

编号	面额	票幅(mm)	刷色	印制	备注
F-19	5元	79×133	蓝、棕/蓝、棕		有图
F-20	10元	108×155	桔、蓝/红、绿		有图

民国9年(1920年)

编号	面额	票幅(mm)	刷色	印制	备注
F-21	1角	44×90	蓝、赭/蓝		有图
F-22	2角	53×107	蓝/蓝		有图
F-23	5角	53×115	红、绿/红		有图

民国10年(1921年)

编号	面额	票幅(mm)	刷色	印制	备注
F-24	1角	38×62	黑/黑	美国钞票公司	有图
F-25	2角	51×77	黑/蓝	美国钞票公司	有图
F-26	2角	69×45		美国钞票公司	缺图
F-27	半元	64×112	绿/绿	美国钞票公司	有图
F-28	1元	83×144	褚/绿	美国钞票公司	有图
F-29	5元	86×150	紫/红	美国钞票公司	有图
F-30	10元	89×155	黄/	美国钞票公司	有图
F-31	50元	92×165	蓝/	美国钞票公司	有图
F-32	100元	95×173	绿/	美国钞票公司	有图

民国16年(1927年)

编号	面额	票幅(mm)	刷色	印制	备注
F-33	10元	91×157	绿/棕	云南官印局	有图
F-34	50元	124×171	棕	云南官印局	有图
F-35	100元	134×189	蓝	云南官印局	有图

民国18年(1929年)

编号	面额	票幅(mm)	刷色	印制	备注
F-36	1元	84×138	棕/红	云南官印局	有图
F-37	5元	90×145	蓝/红	云南官印局	有图

民国元年(1912年)银元票

编号：F-1
面额：1元
票幅：110×138mm
刷色：蓝、黄/棕、黄
收藏参考价(全新)：
2500～3000元

编号：F-2
面额：5元
票幅：110×138mm
刷色：灰/
收藏参考价(全新)：
2800～3200元

编号: F-3
面额: 10元
票幅: 116×138mm
刷色: 赭、绿/橄
收藏参考价(全新):
3000~3500元

编号: F-4
面额: 50元
票幅: 123×160mm
刷色: 紫、黄/
收藏参考价(全新):
3500~4000元

编号: F-5
面额: 100元
票幅: 123×160mm
刷色: 桔、黄/
收藏参考价(全新):
4000~4500元

民国2年（1913年）

编号：F-6
面额：1元
票幅：83 × 125mm
刷色：橄/橄
收藏参考价(全新)：
1100 ~ 1200元

编号：F-7
面额：5元
票幅：98 × 154mm
刷色：棕/
收藏参考价(全新)：
1200 ~ 1300元

编号：F-8
面额：10元
票幅：110 × 160mm
刷色：橄/
收藏参考价(全新)：
1000 ~ 1200元

编号：F-9
面额：50元
票幅：123×172mm
刷色：棕/
收藏参考价(全新)：
2500～3000元

编号：F-10
面额：100元
票幅：131×183mm
刷色：蓝/
收藏参考价(全新)：
3000～3500元

民国5年（1916年）拥护共和纪念币

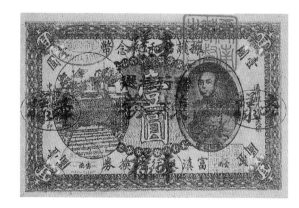

编号： F-11
面额： 1元
票幅： 82 × 125mm
刷色： 棕、绿/棕、绿
收藏参考价(全新)：
6000～7000元

编号： F-12
面额： 5元
票幅： 90 × 140mm
刷色： 橄/
收藏参考价(全新)：
6000～7000元

编号： F-13
面额： 10元
票幅： 90 × 148mm
刷色： 蓝、黑/蓝、绿
收藏参考价(全新)：
1.3万～1.5万元

民国6年(1917年)

编号：F-14
面额：1元
票幅：72×123mm
刷色：绿、黄/绿
收藏参考价(全新)：
700~800元

编号：F-15
面额：5元
票幅：72×130mm
刷色：蓝/蓝
收藏参考价(全新)：
900~1000元

编号：F-16
面额：10元
票幅：72×130mm
刷色：绿、黄/绿
收藏参考价(全新)：
1000～1200元

编号：F-17
面额：50元
票幅：82×142mm
刷色：棕/
收藏参考价(全新)：
3500～4000元

编号：F-18
面额：100元
票幅：87×155mm
刷色：桔/桔
收藏参考价(全新)：
4500～5000元

民国7年(1918年)

编号: F-19
面额: 5元
票幅: 79×133mm
刷色: 蓝、棕/蓝、棕
收藏参考价(全新):
1200~1500元

编号: F-20
面额: 10元
票幅: 108×155mm
刷色: 桔、蓝/红、绿
收藏参考价(全新):
1200~1500元

民国9年（1920年）

编号：F-21
面额：1角
票幅：44×90mm
刷色：蓝、褚/蓝
收藏参考价(全新)：
400～500元

编号：F-22
面额：2角
票幅：53×107mm
刷色：蓝/蓝
收藏参考价(全新)：
400～500元

编号：F-23
面额：5角
票幅：53×115mm
刷色：蓝/蓝
收藏参考价(全新)：
400～500元

民国10年(1921年)

编号：F-24
面额：1角
票幅：38×62mm
刷色：黑/黑
收藏参考价(全新)：
180～200元

编号：F-25
面额：2角
票幅：51×77mm
刷色：黑/蓝
收藏参考价(全新)：
250～280元

编号：F-27
面额：半元
票幅：64×112mm
刷色：绿/绿
收藏参考价(全新)：
500～550元

说明：试模票

编号：F-27a
收藏参考价(全新)：
350～400元

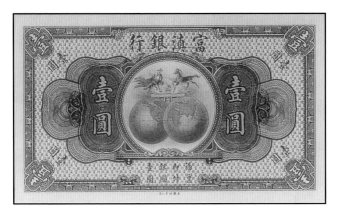

编号：F-28
面额：1元
票幅：83×144mm
刷色：赭/绿
收藏参考价(全新)：
1400～1600元

说明：试模票

编号：F-28a
收藏参考价(全新)：
550～600元

编号：F-29　　　票幅：86×150mm　　　收藏参考价(全新)：
面额：5元　　　刷色：紫/红　　　　　2000～2500元

编号：F-30　　　票幅：89×155mm　　　收藏参考价(全新)：
面额：10元　　　刷色：黄/　　　　　3000～3500元　　　说明：试模票

编号：F-30(背面)

编号：F-31　　票幅：92×165mm　　收藏参考价(全新)：

面额：50元　　刷色：蓝/　　　　1500～1800元

说明：试模票

14

编号：F-32　　票幅：95×173mm　　收藏参考价(全新)：
面额：100元　　刷色：绿／　　　　2500～2800元　　　　说明：试模票

说明：样张

编号：F-32a

民国16年（1927年）

编号：F-33
面额：10元
票幅：91×157mm
刷色：绿/棕
收藏参考价(全新)：
1800～2000元

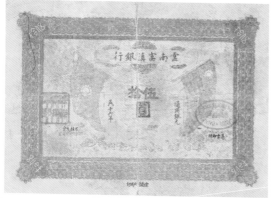

编号：F-34
面额：50元
票幅：124×171mm
刷色：棕
收藏参考价(全新)：
2500～3000元

编号：F-35
面额：100元
票幅：134×189mm
刷色：蓝
收藏参考价(全新)：
4000～4500元

民国18年（1929年）

编号：F-36
面额：1元
票幅：84×138mm
刷色：棕/红
收藏参考价(全新)：
1200～1500元

编号：F-37
面额：5元
票幅：90×145mm
刷色：蓝/红
收藏参考价(全新)：
250～300元

云南富滇新银行

民国18年（1929年）银元券

编号	面额	票幅(mm)	刷色	印制	备注
F-38	1元	76×154	蓝／蓝	美国钞票公司	有图
F-39	5元	80×158	橄／橄	美国钞票公司	有图
F-40	10元	84×166	紫／紫	美国钞票公司	有图
F-41	50元	85×172	橄／橄	美国钞票公司	有图
F-42	100元	90×178	红／红	美国钞票公司	有图

民国22年（1933年）铜元券

编号	面额	票幅(mm)	刷色	印制	备注
F-43	1仙				缺图
F-44	5仙	57×85	蓝／蓝		有图
F-45	10仙	57×98	橄、绿／棕		有图
F-46	50仙	64×102	橄、黄／绿		有图
F-47	100仙	70×114	紫、蓝／紫		缺图

民国18年（1929年）银元券

编号：F-38
面额：1元
票幅：76×154mm
刷色：蓝／蓝
收藏参考价（全新）：
1500～1800元

编号: F-39	票幅: 80 × 158mm	收藏参考价(全新):
面额: 5元	刷色: 橄/橄	3000 ~ 3500元

编号: F-40	票幅: 84 × 166mm	收藏参考价(全新):	
面额: 10元	刷色: 紫/紫	4400 ~ 4800元	说明: 试模票

编号：F-41
面额：50元
票幅：85×172mm
刷色：橄/橄
收藏参考价(全新)：
3000～3500元

编号：F-42　　　票幅：90×178mm　　　收藏参考价(全新)：
面额：100元　　　刷色：红/红　　　3500~3800元　　　说明：样张

编号：F-42a

民国22年（1933年）铜元券

编号：F-44
面额：5仙
票幅：57×85mm
刷色：蓝/蓝
收藏参考价(全新)：
500~600元

编号：F-45
面额：10仙
票幅：57×98mm
刷色：橄、绿/棕
收藏参考价(全新)：
700~800元

编号: F-46
面额: 20仙
票幅: 64×102mm
刷色: 橄、黄/绿
收藏参考价(全新):
700～800元

编号: F-47
面额: 50仙
票幅: 70×114mm
刷色: 紫、蓝/紫
收藏参考价(全新):
1200～1500元

云南省银行

民国38年(1949年)兑换券

编号	面额	票幅(mm)	刷色	印制	备注
F-48	1元	61×150	粉红/粉红	香港印字馆	有图

民国38年(1949年)定额本票

编号	面额	票幅(mm)	刷色	印制	备注
F-49	1元	61×150	粉红/粉红	香港印字馆	有图
F-50	5元				有图
F-51	10元				有图
F-52	20元				有图
F-53	50元	96×183	粉红/红		有图
F-54	100元	96×183	蓝/红		缺图

民国38年(1949年)兑换券

编号：F-48
面额：1元
票幅：61×150mm
刷色：粉红/粉红
收藏参考价(全新)：
100～120元

民国38年(1949年)定额本票

编号：F-49
面额：1元
票幅：61×150mm
刷色：粉红/粉红
收藏参考价(全新)：
250～300元

编号：F-50
面额：5元
收藏参考价(全新)：
300～350元

编号：F-51
面额：10元
收藏参考价(全新)：
300～350元

编号：F-51a
面额：10元
收藏参考价(全新)：
100～120元

编号：F-52
面额：20元
收藏参考价(全新)：
250～300元

编号：F-53
面额：50元
票幅：96×183mm
刷色：蓝/红
收藏参考价(全新)：
300～350元

云南个碧铁路银行

民国11年（1922年）

编号	面额	票幅(mm)	刷色	印制	备注
F-60	1元	82×150	黑/黑	美国钞票公司	有图
F-61	5元	86×158	绿/绿	美国钞票公司	有图
F-62	10元	90×162	橄/桔	美国钞票公司	有图
F-63	50元	92×164	深绿/深绿	美国钞票公司	有图

民国11年（1922年）

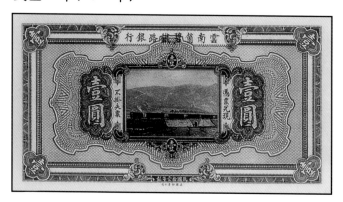

编号：F-60
面额：1元
票幅：82×150mm
刷色：黑/黑
收藏参考价(全新)：
2500～2800元

说明：试模票

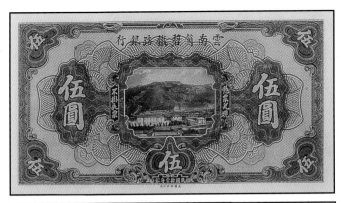

编号：F-61　　票幅：86×158mm　　收藏参考价(全新)：
面额：5元　　刷色：绿/绿　　　2500~3000元　　　说明：试模票

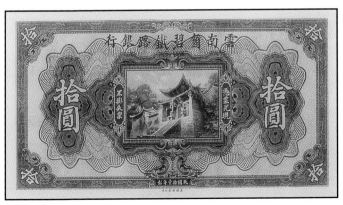

编号：F-62

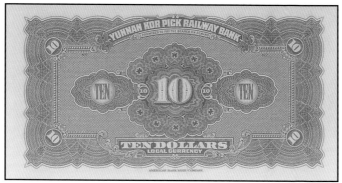

| 编号: F-62 | 票幅: 90×162mm | 收藏参考价(全新): | 说明: 试模票 |
| 面额: 10元 | 刷色: 橄／桔 | 700～800元 | |

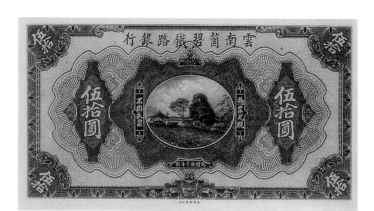

| 编号: F-63 | 票幅: 92×164mm | 收藏参考价(全新): |
| 面额: 50元 | 刷色: 深绿／深绿 | 1600～1800元 |

云南官商合办殖边银行

民国16年（1927年）

编号	面额	票幅(mm)	刷色	印制	备注
F-70	1元	80×136	蓝／蓝	美国钞票公司	有图
F-71	5元	90×144	橄／蓝	美国钞票公司	有图
F-72	10元	92×154	橄／桔	美国钞票公司	有图
F-73	50元	94×162	紫／棕	美国钞票公司	有图
F-74	100元	96×174	绿／桔	美国钞票公司	有图

民国16年（1927年）

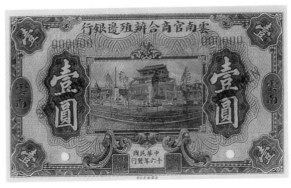

编号：F-70
面额：1元
票幅：80×136mm
刷色：蓝／蓝
收藏参考价（全新）：
1800～2000元

说明：样张

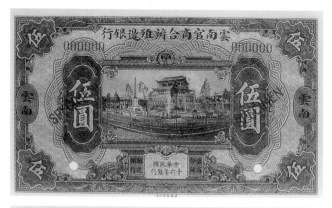

编号: F-71
面额: 5元
票幅: 90 × 144mm
刷色: 橄/蓝
收藏参考价(全新):
2500～3000元

说明: 样张

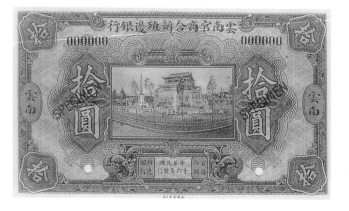

编号: F-72
面额: 10元
票幅: 92 × 154mm
刷色: 橄/桔
收藏参考价(全新):
3000～3500元

说明: 样张

编号：F-73　　票幅：94×162mm　　收藏参考价(全新)：
面额：50元　　刷色：紫/棕　　3000～3500元　　　　说明：样张

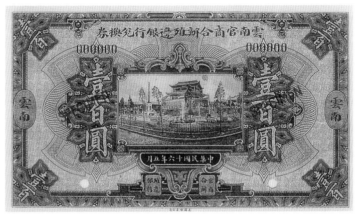

编号：F-74　　票幅：96×174mm　　收藏参考价(全新)：
面额：100元　　刷色：绿/桔　　4000～4500元　　　　说明：样张

贵 州 省

　　贵州位于我国西南地区，东邻湖南，南界广西，西接云南，北接四川。因境内有贵山而得名，简称贵；因战国时为楚黔中和且兰、夜郎地，故又简称黔。明置贵州布政使司，清设贵州省，全省面积17.6平方公里，省会贵阳市。中国的国酒"茅台酒"出于本省的仁怀县。

　　本省地处云贵高原东部，一般在海拔1000米以上，岩溶面积大，多暗河、落水洞，是"八山一水一分地"的山地省，古语有"地无三里平，人无三两银"的笑称。气候温和，冬无严寒，夏无酷暑，是我国阴天日数最多的省。

银行发展简史

- 光绪34年(1908)3月，贵州巡抚庞鸿书创立"**贵州官钱局**"，资本10万两，因发行额不多，又能照票面兑现普遍受到欢迎。

- 宣统3年(1911)3月，贵州官钱局改组为"**贵州银行**"，实收资本估平银142638两，辛亥革命后，该行废两改元，发行银元票。由于政局不稳，军费开支大，随后的历届政府官僚皆以滥发不兑现的纸币弥补财政赤字，巧取豪夺，币信渐失，至1934年倒闭。

- 民国30年(1941)6月7日，成立"**贵州省银行**"，实际资本300万元，属官商合办，总行设在贵阳，当时已实行币制改革，各地方银行已无纸币发行权。

- 民国38年(1949)7月，国民党政府推行金元券失败后，恢复银本位制，实施"**银元及银元券发行办法**"，贵州省银行发行了一组银元辅币券，为民国38年版。

贵州银行

民国元年(1912年)银元票

编号	面额	票幅(mm)	刷色	印制	备注
G-1	1角	75×115	绿/黄	贵阳文通书局	有图
G-2	2角	83×123	绿/黄	贵阳文通书局	有图
G-3	5角	94×142	绿/棕	贵阳文通书局	有图
G-4	1元	96×160	黑、绿/桔	贵阳文通书局	有图
G-5	5元	107×168	黑、蓝/绿	贵阳文通书局	有图
G-6	10元	118×178	绿/褐、紫	贵阳文通书局	有图

民国7年(1918年)银元票

编号	面额	票幅(mm)	刷色	印制	备注
G-7	1角		绿/绿		缺图
G-8	2角		蓝/绿		缺图
G-9	5角		棕/黄		缺图

民国11年(1922年)银元票

编号	面额	票幅(mm)	刷色	印制	备注
G-10	1角	63×120	绿/绿		有图
G-11	2角	64×120	蓝/蓝		缺图
G-12	1元	80×144	蓝、绿/绿		有图
G-13	1元	69×118	蓝、绿		缺图
G-14	10元	100×170	蓝/蓝		有图

民国15年(1926年)银元票

编号	面额	票幅(mm)	刷色	印制	备注
G-15	1角				缺图
G-16	2角				缺图
G-17	5角				有图
G-18	1元				缺图

民国19年(1930年)存款券

编号	面额	票幅(mm)	刷色	印制	备注
G-19	1角				缺图
G-20	2角				缺图
G-21	5角				有图
G-22	1元	65×135	绿/蓝	贵阳文通书局	有图
G-23	5元		棕/橙、黄	贵阳文通书局	缺图
G-24	10元			贵阳文通书局	缺图

民国无年份(ND)

编号	面额	票幅(mm)	刷色	印制	备注
G-25	1元	80×137	蓝、红/蓝、红		有图

民国元年(1912年)银元票

编号：G-1
面额：1角
票幅：75×115mm
刷色：绿/黄
收藏参考价(全新)：
2000～2200元

编号：G-2
面额：2角
票幅：83×123mm
刷色：绿/黄
收藏参考价(全新)：
2000～2200元

编号：G-3
面额：5角
票幅：94×142mm
刷色：绿/棕
收藏参考价(全新)：
1500～1800元

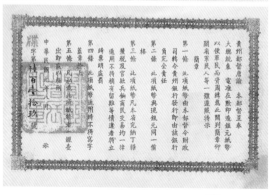

编号：G-4　　　　　票幅：96×160　　　　收藏参考价（全新）：
面额：1元　　　　　刷色：绿／黄　　　　500～600元

编号：G-5	票幅：107×168	收藏参考价(全新)：
面额：5元	刷色：黑、蓝/绿	2000～2500元

编号：G-6	票幅：118×178	收藏参考价(全新)：
面额：10元	刷色：绿/褐、紫	4500～5000元

民国11年(1922年)银元票

编号：G-10
面额：1角
票幅：63×120mm
刷色：绿/绿
收藏参考价(全新)：
500~600元

编号：G-12
面额：1元
票幅：80×144mm
刷色：蓝、绿/绿
收藏参考价(全新)：
2000~2200元

编号：G-14
面额：10元
票幅：100×170mm
刷色：蓝、绿/绿
收藏参考价(全新)：
5500～6000元

民国15年(1926年)银元票

编号：G-17
面额：5角
票幅：
刷色：
收藏参考价(全新)：
600～700元

民国19年(1930年)存款券

编号：G-21
面额：5角
票幅：
刷色：蓝
收藏参考价(全新)：
1300～1500元

编号：G-22
面额：1元
票幅：65×135mm
刷色：绿/蓝
收藏参考价(全新)：
1500～1800元

民国无年份(ND)

编号：G-25
面额：1元
票幅：80×137mm
刷色：蓝、红/蓝、红
收藏参考价(全新)：
1200～1500元

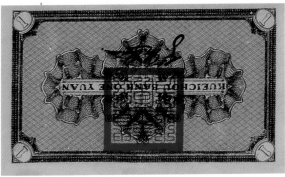

贵州省银行

民国38年(1949年)银元券

编号	面额	票幅(mm)	刷色	印制	备注
G-31	1角	63×123	红、黄/红	大丰印刷厂	有图
G-32	1分	52×113	桔、桔	中央印制厂重庆厂	有图
G-33	5分	62×123	绿、黄、绿	中央印制厂重庆厂	有图
G-34	1角	64×123	红、蓝/红	中央印制厂重庆厂	有图
G-35	5角	64×130	蓝/蓝	中央印制厂重庆厂	有图
G-36	1元		绿	中央印制厂重庆厂	缺图

民国38年(1949年)银元券

编号：G-31
面额：1角
票幅：63×123mm
刷色：红、黄/红
收藏参考价(全新)：
250～300元

编号：G-32
面额：1分
票幅：52×113mm
刷色：桔/桔
收藏参考价(全新)：
15～18元

编号：G-33
面额：5分
票幅：62×123mm
刷色：绿、黄/绿
收藏参考价(全新)：
60～70元

编号：G-34
面额：1角
票幅：64×123mm
刷色：红、蓝/红
收藏参考价(全新)：
50～60元

编号：G-35
面额：5角
票幅：64×130mm
刷色：蓝/蓝
收藏参考价(全新)：
90～100元

山西省

　　山西省地处华北，因位于太行山之西而得名。春秋时属晋国，故简称晋。元属中书省西道，清设山西省，全省面积15.3万平方公里，省会太原市。

　　本省西部是吕梁山，东部太行山，中部是汾河谷地，全省地势高于华北平原1000米，气温、降水量则低于华北平原，且地表水资源不足。

　　本省是我国著名的"煤炭之乡"，"老陈醋"美味远播。北岳恒山、五台山、黄河壶口瀑布为风景名胜区。

银行发展简史

- 民国元年(1912)，山西省政府拨资兴办"山西官钱局"，资本33万元，发行大、小银元票。

- 民国8年(1919)，阎锡山兼任山西省政，将山西官钱局改组为"山西省银行"，官商督办，定资本300万元，实收117万元，币信尚可。

- 民国13年(1924)以后，阎锡山为巩固政权扩充军队，军费剧增，至1928年底已发行纸币达1300万元，而其实有资金为117万元，币信渐减。

- 民国19年(1930)，阎锡山联合冯玉祥反蒋介石，爆发中原大战，结果以阎锡山失败逃往大连而告终。而这场军阀混战，滥发纸币达6530万元之巨，纸币急剧贬值。

- 民国21年(1932)，阎锡山重返山西，改组银行业务并发行新钞，以1：20收兑旧钞，并于民国23年设立了"晋绥地方铁路银号"。

- 民国24年(1935)，国民党推行法币政策，阎锡山不买蒋介石的帐，继续发行山西省钞票来对抗法币。

- 抗日战争期间，山西沦为战区，太原于民国26年失陷，山西省银行迁至晋南，后又移至西安。

- 民国32年(1943)，将绥西垦业银号、晋绥地方铁路银号、晋北盐业资金归并，恢复营业。

- 民国34年(1945)，阎锡山接管山西，山西省银行回迁太原，继续营业。

山西省银行

民国8年(1919年)银元票

编号	面额	票幅(mm)	刷色	印制	备注
Q-1	1角				缺图
Q-2	2角				缺图
Q-3	5角				缺图
Q-4	1元	69×124	蓝、黄/蓝	财政部印刷局	有图
Q-5	5元	78×136	蓝、棕/蓝	财政部印刷局	有图
Q-6	10元	83×141	蓝、黄/蓝	财政部印刷局	有图
Q-7	50元	95×160	蓝、黄/黄	财政部印刷局	有图
Q-8	100元	96×163	红/	财政部印刷局	有图

民国11年(1922年)银元票

编号	面额	票幅(mm)	刷色	印制	备注
Q-9	1角	58×106	绿/绿	财政部印刷局	有图
Q-10	5角	61×120	绿/绿	财政部印刷局	有图

民国15年(1926年)银元票

编号	面额	票幅(mm)	刷色	印制	备注
Q-11	1角	61×108	紫/紫	财政部印刷局	缺图
Q-12	2角	63×113	红/红	财政部印刷局	缺图
Q-13	1元				有图

民国16年(1927年)银元票

编号	面额	票幅(mm)	刷色	印制	备注
Q-14	1角	54×102	绿/绿	财政部印刷局	有图
Q-15	2角	60×104	绿/绿	财政部印刷局	有图

民国17年(1928年)银元票

编号	面额	票幅(mm)	刷色	印制	备注
Q-16	1角		蓝绿	财政部印刷局	缺图
Q-17	2角	62×112	紫绿	财政部印刷局	有图
Q-18	1元	70×126	蓝、黄/棕	财政部印刷局	有图
Q-19	1元	70×129	棕/绿	财政部印刷局	有图
Q-20	5元	74×140	蓝/棕	财政部印刷局	有图
Q-21	5元	75×142	棕/		缺图
Q-22	10元	82×155	绿/桔	财政部印刷局	有图
Q-23	10元	83×139	橄/橄	财政部印刷局	有图

民国17年(1928年)铜元票

编号	面额	票幅(mm)	刷色	印制	备注
Q-24	10枚	62×115	橄/棕		有图
Q-25	20枚	71×122	棕、绿/桔		有图

民国19年（1930年）银元票

编号	面额	票幅(mm)	刷色	印制	备注
Q-26	1角	61×109	棕/棕	北平印刷局	有图
Q-27	2角	65×114	橄/橄	北平印刷局	有图
Q-28	5角		红/红	北平印刷局	缺图
Q-29	1元	73×147	棕/棕	北平印刷局	有图
Q-30	5元		黄/黄	北平印刷局	缺图
Q-31	10元		绿/绿	北平印刷局	缺图

民国21年（1932年）银元票

编号	面额	票幅(mm)	刷色	印制	备注
Q-32	1元		红、棕/棕	财政部印刷局	缺图
Q-33	2元	82×150	黄、绿/黄、绿	财政部印刷局	缺图
Q-34	10元	84×155	绿/绿	财政部印刷局	有图

民国21年（1932年）铜元票

编号	面额	票幅(mm)	刷色	印制	备注
Q-35	10枚	51×91	棕/红	财政部印刷局	有图
Q-36	20枚	56×100	绿/棕	财政部印刷局	有图

民国22年（1933年）银元票

编号	面额	票幅(mm)	刷色	印制	备注
Q-37	5元	83×152	红/红	财政部印刷局	有图

民国25年（1936年）银元票

编号	面额	票幅(mm)	刷色	印制	备注
Q-38	1元	73×156	橄/蓝	西北印刷厂	有图
Q-39	1元	73×156	橄/蓝	西北印刷厂	缺图

民国26年（1937年）银元票

编号	面额	票幅(mm)	刷色	印制	备注
Q-40	5元	75×151	棕、黄/桔	西北印刷厂	有图
Q-41	10元	83×165	蓝/绿	西北印刷厂	有图

民国无年份（ND）兑换券

编号	面额	票幅(mm)	刷色	印制	备注
Q-42	1角	60×107	蓝、绿/绿	北洋印刷局	有图
Q-43	1元	81×145	蓝、橙/	北洋印刷局	有图

民国无年份（ND）铜元票

编号	面额	票幅(mm)	刷色	印制	备注
Q-44	10枚	62×117	棕、绿/蓝、红	北平印刷局	有图
Q-45	20枚	70×120	蓝、橙/蓝、红	北平印刷局	有图
Q-46	50枚	74×132	红、蓝/蓝、红	财政部印刷局	有图
Q-47	100枚	75×138	红、蓝/蓝、红	财政部印刷局	有图

民国8年(1919年)银元票

编号：Q-4
面额：1元
票幅：69×124mm
刷色：蓝、黄/蓝
收藏参考价(全新)：
200~250元

说明：太原

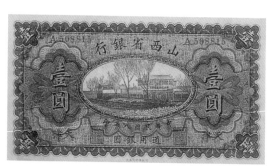

编号：Q-4a
说明：天津

编号：Q-5
面额：5元
票幅：78×136mm
刷色：蓝、棕/蓝
收藏参考价(全新)：
1500～1800元

编号：Q-6
面额：10元
票幅：83×141mm
刷色：蓝、黄/蓝
收藏参考价(全新)：
400～500元

编号：Q-7
面额：50元
票幅：95×160mm
刷色：蓝、黄/黄
收藏参考价(全新)：
4500~5000元

编号：Q-8
面额：100元
票幅：96×163mm
刷色：红/
收藏参考价(全新)：
5500~6000元

说明：试色票

民国11年(1922年)银元票

编号：Q-9
面额：1角
票幅：58×106mm
刷色：绿/绿
收藏参考价(全新)：
180~200元

编号：Q-10
面额：5角
票幅：61×120mm
刷色：绿/绿
收藏参考价(全新)：
300~350元

民国15年（1926年）银元票

编号：Q-11
面额：1角
票幅：61×108mm
刷色：紫/紫
收藏参考价（全新）：
70～80元

编号：Q-12
面额：2角
票幅：63×113mm
刷色：红/红
收藏参考价（全新）：
130～150元

民国16年(1927年)

编号：Q-14
面额：1角
票幅：54×102mm
刷色：绿/绿
收藏参考价(全新)：
50～60元

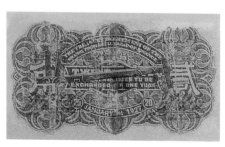

编号：Q-15
面额：2角
票幅：60×104mm
刷色：绿/绿
收藏参考价(全新)：
180～200元

民国17年（1928年）银元票

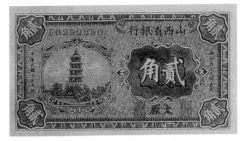

编号：Q-17
面额：2角
票幅：62×112mm
刷色：紫/绿
收藏参考价（全新）：
180～200元

编号：Q-18
面额：1元
票幅：70×126mm
刷色：蓝、黄/棕
收藏参考价（全新）：
250～300元

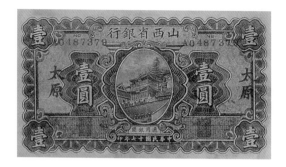

编号：Q-19
面额：1元
票幅：70×129mm
刷色：棕/绿
收藏参考价(全新)：
350～400元

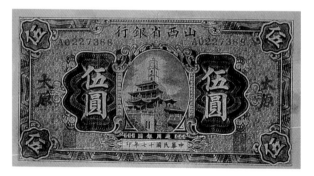

编号：Q-20
面额：5元
票幅：74×140mm
刷色：蓝/棕
收藏参考价(全新)：
500～600元

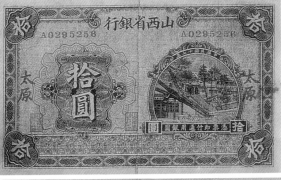

编号: Q-22
面额: 10元
票幅: 82 × 155mm
刷色: 绿／桔
收藏参考价(全新):
700 ~ 800元

编号: Q-23
面额: 10元
票幅: 83 × 139mm
刷色: 橄／橄
收藏参考价(全新):
800 ~ 900元

民国17年（1928年）铜元票

编号：Q-24
面额：10枚
票幅：62×115mm
刷色：橄/棕
收藏参考价(全新)：
200～250元

编号：Q-24a

编号：Q-25
面额：20枚
票幅：71×122mm
刷色：棕、绿/桔
收藏参考价(全新)：
200～250元

民国19年(1930年)银元票

编号：Q-26
面额：1角
票幅：61×109mm
刷色：棕/棕
收藏参考价(全新)：
90～100元
说明：太原

编号：Q-26a
收藏参考价(全新)：
110～120元
说明：平遥

编号：Q-26c
收藏参考价(全新)：
90～100元
说明：绥远

编号: Q-27
面额: 2角
票幅: 65 × 114mm
刷色: 橄/橄
收藏参考价(全新):
100 ~ 120元
说明: 朔县

编号: Q-27a
收藏参考价(全新):
130 ~ 150元
说明: 绥远
附: 另有太原地名

编号: Q-29a
收藏参考价(全新):
60 ~ 80元

编号：Q-29
面额：1元
票幅：73×147mm
刷色：棕/棕
收藏参考价(全新)：
60~80元
说明：太原

附：另有平遥、
大同、晋城、交城、
临汾、祁县等地名

民国21年(1932年)银元票

编号：Q-34
面额：10元
票幅：84×155mm
刷色：绿/绿
收藏参考价(全新)：
400~500元
说明：太原

附：另有太谷、
晋城地名

民国21年（1932年）铜元票

编号：Q-35　　票幅：51×91mm
面额：10枚　　刷色：棕/红

收藏参考价（全新）：
130～150元

编号：Q-36　　票幅：56×100mm
面额：20枚　　刷色：绿/棕

收藏参考价（全新）：
180～200元

民国22年（1933年）银元票

编号：Q-37
面额：5元
票幅：83×152mm
刷色：红/红
收藏参考价（全新）：
700～800元

编号：Q-37a
收藏参考价(全新)：
600~700元

说明：签署不同

民国25年(1936年)银元票

编号：Q-38
面额：1元
票幅：73×156mm
刷色：橄/蓝
收藏参考价(全新)：
120~150元

民国26年(1937年)银元票

编号：Q-40
面额：5元
票幅：75×151mm
刷色：棕、黄/桔
收藏参考价(全新)：
460~500元

编号：Q-41
面额：10元
票幅：83×165mm
刷色：蓝/绿
收藏参考价(全新)：
150~200元

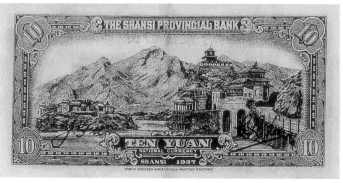

民国无年份(ND)兑换券

编号：Q-42
面额：1角
票幅：60×107mm
刷色：蓝、绿/绿
收藏参考价(全新)：
350~400元

编号：Q-43
面额：1元
票幅：81×145mm
刷色：蓝/橙
收藏参考价(全新)：
900~1000元

民国无年份(ND)铜元票

编号：Q-44
面额：10枚
票幅：62×117mm
刷色：蓝、绿/绿
收藏参考价(全新)：
70～80元

编号：Q-44a

编号：Q-44b

附：另有运城、榆次等地名

编号：Q-45
面额：20枚
票幅：74×132mm
刷色：红、蓝/蓝、红
收藏参考价(全新)：
70~80元

附：另有忻县地名

编号：Q-46
面额：50枚
票幅：74×132mm
刷色：红、蓝/蓝、红
收藏参考价(全新)：
150~180元

说明：忻县

附：另有太原地名

编号：Q-47
面额：100枚
票幅：75×138mm
刷色：红、蓝/黄、桔
收藏参考价(全新)：
200～250元

说明：汾阳

附：另有范村地名

晋绥地方铁路银号

民国23年（1934年）

编号	面额	票幅(mm)	刷色	印制	备注
Q-51	1角	54×114	橄/橄	财政部印刷局	有图
Q-52	2角			财政部印刷局	缺图
Q-53	5角			财政部印刷局	缺图
Q-54	1元	72×150	紫/紫	财政部印刷局	有图
Q-55	5元			财政部印刷局	缺图
Q-56	10元			财政部印刷局	有图

民国25年（1936年）

编号	面额	票幅(mm)	刷色	印制	备注
Q-57	1角			西北印刷厂	缺图
Q-58	2角			西北印刷厂	缺图
Q-59	5角	60×126	蓝/红	西北印刷厂	有图
Q-60	5元	69×150	棕/棕	西北印刷厂	有图

民国23年（1934年）

编号：Q-51
面额：1角
票幅：54×114mm
刷色：橄/橄
收藏参考价(全新)：
120～150元

编号：Q-54　　　票幅：72×150mm　　收藏参考价(全新)：
面额：1元　　　刷色：紫/紫　　　　90～100元

编号：Q-56　　　票幅：　　　　　收藏参考价(全新)：
面额：10元　　　刷色：　　　　　400～450元

民国25年(1936年)

编号：Q-59
面额：5角
票幅：60×126mm
刷色：蓝/红
收藏参考价(全新)：
80～90元

编号：Q-60
面额：5元
票幅：69×150mm
刷色：棕/棕
收藏参考价(全新)：
250～300元

西北银行

民国13年（1924年）银元券

编号	面额	票幅(mm)	刷色	印制	备注
Q-71	1角	60×110	棕/蓝	财政部印刷局	有图
Q-72	2角	65×116	棕/绿	财政部印刷局	缺图
Q-73	5角	72×124	橄/棕	财政部印刷局	有图

民国14年（1925年）银元券

编号	面额	票幅(mm)	刷色	印制	备注
Q-74	1角	62×110	绿/绿	财政部印刷局	有图
Q-75	2角	64×116	橄/橄	财政部印刷局	有图
Q-76	1元	78×145	蓝/蓝		有图
Q-77	5元	86×153	桔/桔		有图
Q-78	10元	91×161	绿/绿		有图

民国14年（1925年）铜元券

编号	面额	票幅(mm)	刷色	印制	备注
Q-79	10枚	68×144	蓝/蓝	财政部印刷局	缺图
Q-80	20枚	68×122	棕/棕	财政部印刷局	有图
Q-81	50枚	68×128	红/红	财政部印刷局	有图
Q-82	100枚	68×132	绿/绿	财政部印刷局	有图

民国15年（1926年）辅币券

编号	面额	票幅(mm)	刷色	印制	备注
Q-83	1角	63×115	蓝、黄/紫		有图

民国17年（1928年）辅币券

编号	面额	票幅(mm)	刷色	印制	备注
Q-84	1角	63×110	蓝、黄/橄	上海协顺印刷所	有图
Q-85	2角	68×112	红、蓝/棕	上海协顺印刷所	有图
Q-86	1元	80×145	棕/棕	财政部印刷局	有图
Q-87	5元	83×150	绿/绿	财政部印刷局	有图
Q-88	10元	92×162	红/紫	财政部印刷局	有图

民国13年(1924年)银元券

编号：Q-71
面额：1角
票幅：60×110mm
刷色：棕/蓝
收藏参考价(全新)：
70～80元

编号：Q-73
面额：5角
票幅：65×116mm
刷色：棕/绿
收藏参考价(全新)：
100～120元

民国14年(1925年)银元券

编号: Q-74
面额: 1角
票幅: 62×110mm
刷色: 绿/绿
收藏参考价(全新):
220~250元

编号: Q-75
面额: 2角
票幅: 64×116mm
刷色: 橄/橄
收藏参考价(全新):
250~300元

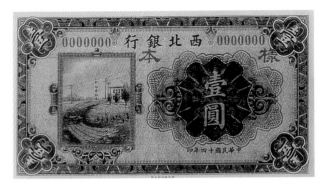

编号：Q-76
面额：1元
票幅：78 × 145mm
刷色：蓝／蓝
收藏参考价(全新)：
700 ~ 800元

说明：样张

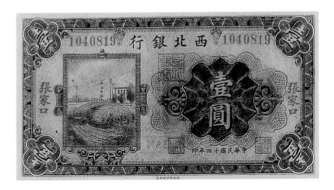

编号：Q-76a
收藏参考价(全新)：
300 ~ 350元

说明：花框

编号：Q-76b
收藏参考价(全新)：
250～300元

说明：张家口
附：另有开封、西安、
多伦等地名

编号：Q-77
面额：5元
票幅：86×153mm
刷色：桔/桔
收藏参考价(全新)：
900～1000元

说明：样张

编号：Q-77a
收藏参考价(全新)：
600～700元

说明：北京

编号：Q-77b
收藏参考价(全新)：
400～500元

说明：多伦

编号：Q-77c
收藏参考价(全新)：
500～600元

说明：热河

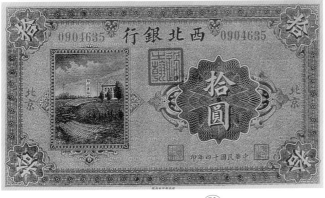

编号：Q-78a
收藏参考价(全新)：
600～700元

说明：样张

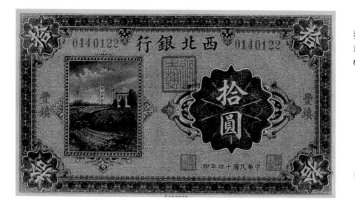

编号：Q-78b
收藏参考价(全新)：
600～700元

说明：丰镇

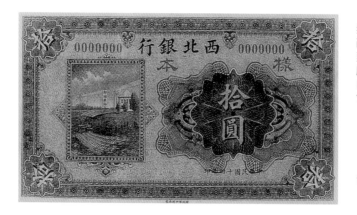

编号：Q-78
面额：10元
票幅：91×161mm
刷色：绿/绿
收藏参考价(全新)：
700～800元

说明：样张

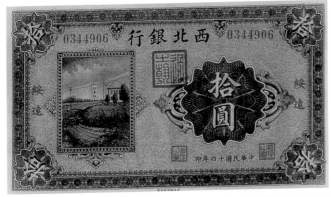

编号：Q-78c
收藏参考价(全新)：
500~600元

说明：绥远

民国14年（1925年）铜元券

编号：Q-80
面额：20枚
票幅：68×122mm
刷色：棕/棕
收藏参考价(全新)：
120~150元

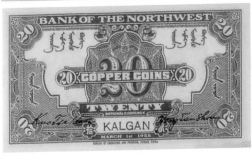

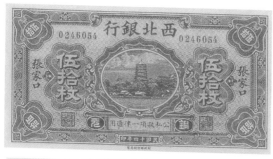

编号：Q-81
面额：50枚
票幅：68×128mm
刷色：红/红
收藏参考价(全新)：
120～150元

编号：Q-82
面额：100枚
票幅：68×132mm
刷色：绿/绿
收藏参考价(全新)：
400～450元

民国15年（1926年）辅币券

编号：Q-83
面额：50枚
票幅：68 × 128mm
刷色：红/红
收藏参考价(全新)：
180 ~ 200元

民国17年（1928年）辅币券

编号：Q-84
面额：1角
票幅：63 × 110mm
刷色：蓝、黄/橄
收藏参考价(全新)：
250 ~ 300元

编号：Q-85
面额：2角
票幅：68 × 112mm
刷色：红、蓝/棕
收藏参考价(全新)：
180 ~ 200元

编号：Q-85a

编号：Q-86
面额：1元
票幅：80×145mm
刷色：棕/棕
收藏参考价(全新)：
350～400元

说明：西安

编号：Q-86a
说明：河南

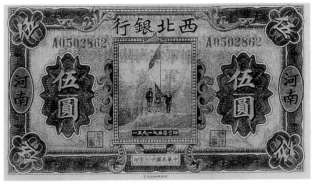

编号：Q-87
面额：5元
票幅：83×150mm
刷色：绿/绿
收藏参考价(全新)：
700~800元

说明：河南

编号：Q-88
面额：10元
票幅：92×162mm
刷色：红/紫
收藏参考价(全新)：
700~800元

说明：陕西

编号：Q-88a
收藏参考价(全新)：
700~800元

说明：河南

四川省

　　四川省是我国人口最多的省份，位于我国西南，长江上游，因宋代有川陕四路而得名，简称川；又因春秋战国时为蜀国地，又简称蜀，元置四川行省，明清设四川省。全省面积48万平方公里，有"天府之国"称誉，省会成都市。

　　本省东部为四川盆地，西部为高原山地，属青藏高原东缘，南部是横断山脉的北端。长江、嘉陵江、大渡河、雅砻江是境内主要河流。气候多样，盆地区属亚热带湿润气候，西南山区干湿分明，川西北则长冬无夏。

　　峨眉山、乐山大佛、黄龙寺、九寨沟、青城山、都江堰、剑门蜀道、贡嘎山、蜀南竹海等是国家重点风景名胜区。卧龙是国家重点自然保护区，并建立了大熊猫研究中心。

银行发展史简

- 光绪22年(1896)6月，四川总督鹿傅霖在成都设立"蜀通官钱局"，一年半后，因其卸任而停业。

- 光绪29年(1903)，"四川铜元局"成立，光绪31年(1905)该局与银局合并为四川银铜元总局，第二年又改为四川户部造币分厂，铸造铜元，兼发行少量纸币。

- 光绪31年(1905)，成立"浚川源银行"，先官商合办后改为商办。辛亥革命期间，成都发生兵变，被迫停业。

- 四川省军政府于辛亥革命期间成立"四川银行"，发行了"大汉军政府军用银票"，由于政令不一，仅一年就停办。

- 民国元年(1912)11月，在军政府的倡议下，"浚川源银行"复业。至民国9年结束营业。

- 民国12年(1923)，为弥补军需，分别成立了"四川官银号"、"重庆官银号"，但均于2个月后停办。

- 民国23年(1934)1月12日，"四川地方银行"成立，资本额定200万元，政府实拨资金120万元。初期币信尚可，后因军费开支，至1935年，滥发纸币达3000万元，发生挤兑风潮。

- 民国24年(1935)11月1日，四川地方银行改组为"四川省银行"，总行设在重庆。当时已实施法币政策，不准各省再发行纸币。而该行已印好的民国26年版纸币被中国农民银行借用，加盖中国农民银行名称发行。为了找零需要，四川省银行曾发行了辅币，蒋介石政府又于1949年以省银行名义发行了银元券。

四川浚川源官银号

民国4年（1915年）银元票

编号	面额	票幅(mm)	刷色	印制	备注
R-1	1元	100×154	蓝、黄／棕、蓝		有图

编号：R-1
面额：1元
票幅：100×154mm
刷色：蓝、黄／棕、蓝
收藏参考价(全新)：
900～1000元

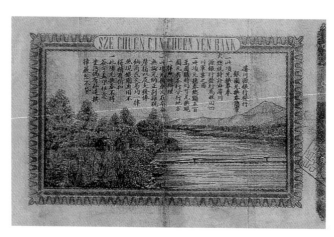

四川官银号

民国无年份(ND)银元票

编号	面额	票幅(mm)	刷色	印制	备注
R-11	1元	82×144	蓝、黄/蓝		有图
R-12	5元				缺图
R-13	10元				缺图

民国10年(1921年)银元票

编号	面额	票幅(mm)	刷色	印制	备注
R-14	1元	80×146	蓝、蓝/黄		有图
R-15	5元	89×157	黄/蓝		有图
R-16	10元	104×196	绿、蓝/黄		有图

民国12年(1923年)银元票

编号	面额	票幅(mm)	刷色	印制	备注
R-17	1元	70×170	蓝/蓝		有图
R-18	5元	96×172	紫/紫		有图
R-19	10元				缺图

民国13年(1924年)银元票

编号	面额	票幅(mm)	刷色	印制	备注
R-20	200文				缺图
R-21	500文				缺图
R-22	1000文	83×136	蓝绿/蓝		有图

民国无年份(ND)银元票

编号：R-11
面额：1元
票幅：82×144mm
刷色：蓝、黄/蓝
收藏参考价(全新)：
180～200元

民国10年(1921年)银元票

编号：R-14
面额：1元
票幅：80×146mm
刷色：蓝/蓝、黄
收藏参考价(全新)：
180~200元

编号：R-15
面额：5元
票幅：89×157mm
刷色：黄/蓝
收藏参考价(全新)：
300~350元

编号：R-16 票幅：104×196mm 收藏参考价(全新)：
面额：10元 刷色：绿、蓝/黄 800～900元

民国12年（1923年）银元票

编号：R-17
面额：1元
票幅：70×170mm
刷色：蓝/蓝
收藏参考价(全新)：
900～1000元

编号：R-18
面额：5元
票幅：96×172mm
刷色：紫/紫
收藏参考价(全新)：
700~800元

民国13年(1924年)银元票

编号：R-22
面额：1000文
票幅：83×136mm
刷色：蓝绿/蓝
收藏参考价(全新)：
200~250元

四川地方银行

民国22年(1933)银元票

编号	面额	票幅(mm)	刷色	印制	备注
R-31	5角	56×106	蓝/蓝		有图
R-32	1元	61×140	绿/绿		有图
R-33	5元	71×142	蓝/桔		有图
R-34	10元	81×151	绿/绿		有图

编号：R-31
面额：5角
票幅：56×106mm
刷色：蓝/蓝
收藏参考价(全新)：
350~400元

编号：R-32
面额：1元
票幅：61×140mm
刷色：绿/绿
收藏参考价(全新)：
250~280元

编号：R-33
面额：5元
票幅：71×142mm
刷色：蓝/桔
收藏参考价(全新)：
350～400元

编号：R-34
面额：10元
票幅：81×151mm
刷色：绿/绿
收藏参考价(全新)：
800～900元

四川省银行

民国25年（1936）银元票

编号	面额	票幅(mm)	刷色	印制	备注
R-41	5角	60×116	红/棕、绿		有图

民国26年（1937）银元票

编号	面额	票幅(mm)	刷色	印制	备注
R-42	5元				缺图
R-43	100元				有图

民国38年（1949年）银元券

编号	面额	票幅(mm)	刷色	印制	备注
R-44	1分			四川省印刷局	缺图
R-45	5分	58×130	绿/绿	四川省印刷局	有图
R-46	1角	58×128	蓝/蓝	四川省印刷局	有图
R-47	5角	60×126	红/红	四川省印刷局	有图

民国25年（1936）银元票

编号：R-41
面额：5角
票幅：60×116mm
刷色：红/棕、绿
收藏参考价(全新)：
70～80元

民国26年（1937）银元票

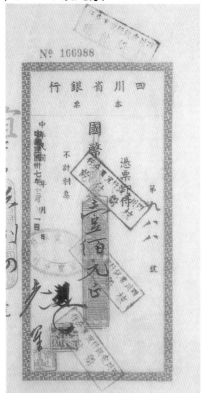

编号：R-43
面额：100元
票幅：
刷色：
收藏参考价(全新)：
250～300元

民国38年（1949年）银元券

编号：R-45
面额：5分
票幅：58×130mm
刷色：绿/绿
收藏参考价(全新)：
250～300元

编号：R-46
面额：1角
票幅：58×128mm
刷色：蓝/蓝
收藏参考价(全新)：
180~200元

编号：R-47
面额：5角
票幅：60×126mm
刷色：红/红
收藏参考价(全新)：
350~400元

陕 西 省

陕西省地处黄河中游,春秋战国时期为秦地,又别称秦。全省面积20.6万平方公里,省会西安市,古称长安,是我国历史文化名城和七大古都之一,先后有12个王朝和两个农民政权在此建都。

本省北部为黄土高原中心部份,南部为秦岭、巴山和汉水谷地,中部为关中平原,号称"八百里秦川"。以秦岭为界,北部大陆性气候明显,干燥少雨;南部为亚热带季风性气候,较为湿润。

本省是中华民族古文化的发祥地之一,名胜古迹众多。华山、临潼骊山、宝鸡天台山是国家重点风景名胜区。华山是我国五岳之一,高度居五岳之前,有"奇险天下第一"之誉,秦皇陵兵马俑被誉为"世界第八大奇迹"。延安、韩城、榆林是我国历史文化名城。

银行发展简史

- 光绪20年(1894)8月,"陕西官银钱号"成立,资本1万两,曾发行钱票、银两票。
- 宣统2年(1910),陕西官银钱号改组为"秦丰官钱局",资本6万两,发行制钱票、银两票。另陕西藩司曾设立"陕西富秦钱局",发行制钱票和铜元票。
- 民国元年(1912),秦丰官钱局停办,改组为"秦丰银行",实收资本银28万两,属地方官办,发行银两票二种,一种为旧式银两票,由原陕西官银钱局的龙票改造而成,另一种为新式银两票,从民国2年1月至民国3年10月止。
- 民国6年(1917),秦丰银行改组为"陕西富秦银行",民国7年又将富秦钱局并入,该行曾发行银两票、银元券,于民国15年(1926)停办。
- 民国16年(1927),冯玉祥掌握陕西政务,设立"西北银行西安分行",接办富秦银行,代理陕西省库,成为唯一的纸币发行机构。
- 民国18年(1929)5月,由冯玉祥督军誓师五原响应北伐,军费剧增,滥发纸币难以兑现,不久宣告停业。
- 民国20年(1931)2月,陕西省政府成立"陕西省银行",官商合办,总行设于西安,并在各县设分行,银行成立首先清理原富秦银行和西北银行债务。开始因为时间关系,未能及时印刷纸币,利用西北银行纸币加盖陕西银行流通,后发行过辅币券。1949年国民党推行金元券失败,陕西省银行发行1、2角银元辅币券。
- 1949年5月20日,陕西解放,银行业务由人民政府接管。

陕西秦丰银行

民国元年(1912年)银两票

编号	面额	票幅(mm)	刷色	印制	备注
S-1	1两	100×107	蓝/白		缺图
S-2	2两	105×168	蓝/白		有图
S-3	5两	105×168	蓝/白		有图
S-4	10两				缺图
S-5	20两				缺图
S-6	30两				缺图

民国2年(1913年)银两票

编号	面额	票幅(mm)	刷色	印制	备注
S-7	1两	88×134	紫/蓝	商务印书馆	有图
S-8	5两	121×61	绿/蓝、黄	北京京华书局	有图
S-9	10两	106×170	蓝/蓝、绿	北京京华书局	有图

民国元年(1912年)银两票

编号：S-2
面额：2两
票幅：105×168mm
刷色：蓝/白
收藏参考价(全新)：
5000～6000元

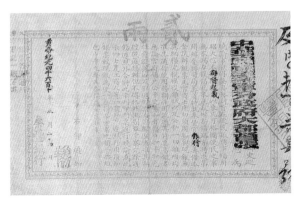

编号：S-3
面额：5两
票幅：105×168mm
刷色：蓝/白
收藏参考价(全新)：
5000～6000元

民国2年(1913年)银两票

编号：S-7
面额：1两
票幅：88×134mm
刷色：紫/蓝
收藏参考价(全新)：
900～1000元

编号：S-8
面额：5两
票幅：121×161mm
刷色：绿/蓝
收藏参考价(全新)：
2000～2500元

编号：S-9
面额：10两
票幅：106×170mm
刷色：蓝/蓝、绿
收藏参考价(全新)：
2500～3000元

陕西富秦钱局

民国12年(1923年)制钱票

编号	面额	票幅(mm)	刷色	印制	备注
S-11	100文	59×130	紫/绿、红	财政部印刷局	有图
S-12	200文	62×130	绿/棕、绿	财政部印刷局	有图
S-13	500文	64×132	桔/蓝、桔	财政部印刷局	有图
S-14	1000文	69×140	蓝/橄、绿	财政部印刷局	有图

民国15年(1926年)制钱票

编号	面额	票幅(mm)	刷色	印制	备注
S-15	1串文	89×167	蓝、黄/棕	艺林印书社	有图
S-16	2串文				缺图

民国16年(1927年)银角票

编号	面额	票幅(mm)	刷色	印制	备注
S-17	1角			旅兴新石印	缺图
S-18	3角			旅兴新石印	缺图
S-19	5角	62×126	棕/蓝	旅兴新石印	有图

民国17年(1928年)制钱票

编号	面额	票幅(mm)	刷色	印制	备注
S-20	2000文	72×130	蓝、黄/红	旅兴新石印	有图
S-21	2000文	72×130	紫/紫		有图

民国20年(1931年)铜元票

编号	面额	票幅(mm)	刷色	印制	备注
S-23	10枚	50×105	桔/桔	财政部印刷局	有图
S-24	50枚	58×114	棕/棕	财政部印刷局	有图

民国24年(1935年)铜元票

编号	面额	票幅(mm)	刷色	印制	备注
S-27	20枚	56×111	紫、黑/	财政部印刷局	有图

民国12年(1923年)制钱票

编号：S-11
面额：100文
票幅：59×130mm
刷色：紫/绿、红
收藏参考价(全新)：
700~800元

编号：S-12
面额：200文
票幅：62×130mm
刷色：绿/棕、绿
收藏参考价(全新)：
800~900元

编号：S-13
面额：500文
票幅：64×132mm
刷色：桔/蓝、桔
收藏参考价(全新)：
900～1000元

编号：S-14
面额：1000文
票幅：69×140mm
刷色：蓝/ 、绿
收藏参考价(全新)：
1200～1300元

民国15年(1926年)制钱票

编号：S-15　　票幅：89×167mm　　收藏参考价(全新)：
面额：1串文　　刷色：蓝/黄、棕　　1500～1800元

民国16年(1927年)银角票

编号：S-19
面额：5角
票幅：62×126mm
刷色：棕/蓝
收藏参考价(全新)：
250～300元

民国17年(1928年)制钱票

编号：S-20
面额：2000文
票幅：72×130mm
刷色：红、黄/红
收藏参考价(全新)：
220~250元

编号：S-21
面额：2000文
票幅：72×130mm
刷色：紫/紫
收藏参考价(全新)：
450~500元

民国20年（1931年）铜元票

编号：S-23
面额：10枚
票幅：50×105mm
刷色：桔/桔
收藏参考价（全新）：
150～200元

编号：S-24
面额：50枚
票幅：58×114mm
刷色：棕/棕
收藏参考价（全新）：
180～200元

民国24年（1935年）铜元票

编号：S-27
面额：20枚
票幅：56×111mm
刷色：紫、黑/
收藏参考价（全新）：
350～400元

陕西富秦银行

民国无年份（ND）银两票

编号	面额	票幅(mm)	刷色	印制	备注
S-31	1两				缺图
S-32	2两				缺图
S-33	3两				缺图
S-34	5两				缺图
S-35	10两				缺图

民国8年（1919年）银两票

编号	面额	票幅(mm)	刷色	印制	备注
S-36	50两	82×148	紫/棕	财政部印刷局	有图

民国10年（1921年）银元票

编号	面额	票幅(mm)	刷色	印制	备注
S-37	1元	79×146			缺图

民国11年（1922年）银元票

编号	面额	票幅(mm)	刷色	印制	备注
S-41	1元	79×146	绿/紫	财政部印刷局	有图
S-42	5元	79×146	蓝/蓝	财政部印刷局	有图
S-43	10元	79×146	桔/紫	财政部印刷局	有图

民国8年（1919年）银两票

编号：S-36
面额：50两
票幅：82×148mm
刷色：紫/棕
收藏参考价(全新)：
700~800元

民国11年(1922年)银元票

编号：S-41
面额：1元
票幅：79 × 146mm
刷色：绿/紫
收藏参考价(全新)：
450～500元

编号：S-42
面额：5元
票幅：79 × 146mm
刷色：蓝/蓝
收藏参考价(全新)：
500～600元

编号：S-43
面额：10元
票幅：79×146mm
刷色：桔/紫
收藏参考价(全新)：
700～800元

陕西省银行

民国无年份(ND)银元票

编号	面额	票幅(mm)	刷色	印制	备注
S-51	1元				缺图

民国17年(1928年)银元票

编号	面额	票幅(mm)	刷色	印制	备注
S-52	1元		棕/棕	财政部印刷局	缺图
S-53	5元		棕/棕	财政部印刷局	缺图
S-54	10元		蓝/棕	财政部印刷局	缺图

民国20年(1931年)银元票

编号	面额	票幅(mm)	刷色	印制	备注
S-55	1元	69×140	棕/棕	财政部印刷局	有图
S-56	5元	73×145	绿/绿	财政部印刷局	有图
S-57	10元	81×153	蓝/蓝	财政部印刷局	有图

民国21年(1932年)银元票

编号	面额	票幅(mm)	刷色	印制	备注
S-58	1角	52×103	红/红	财政部印刷局	有图
S-59	2角	59×110	绿/绿	财政部印刷局	有图

民国23年(1934年)银元票

编号	面额	票幅(mm)	刷色	印制	备注
S-60	1元				缺图
S-61	5元				缺图

民国27年(1938年)银元票

编号	面额	票幅(mm)	刷色	印制	备注
S-62	1角	56×115	蓝/蓝		有图
S-63	2角	56×115	棕/棕		有图
S-64	5角	61×125	绿/橄		有图

民国32年(1943年)国币本票

编号	面额	票幅(mm)	刷色	印制	备注
S-65	5元	62×128	橄/黄		单面、缺图
S-66	10元	65×132	绿/黄		单面、缺图

民国38年(1949年)银元辅币券

编号	面额	票幅(mm)	刷色	印制	备注
S-71	1角	51×123	红/红	霞光印刷厂	有图
S-72	2角	63×125	蓝/蓝	霞光印刷厂	有图

民国20年(1931年)银元票

编号：S-55
面额：1元
票幅：69×140mm
刷色：棕/棕
收藏参考价(全新)：
350~400元

编号：S-55a
面额：1元
票幅：69×140mm
刷色：桔/桔
收藏参考价(全新)：
180~200元

编号：S-56
面额：5元
票幅：73 × 145mm
刷色：绿/绿
收藏参考价(全新)：
220～250元

编号：S-56a
面额：5元
票幅：73 × 145mm
刷色：棕/棕
收藏参考价(全新)：
220～250元

编号：S-57　　　　票幅：81×153mm　　　　收藏参考价(全新)：
面额：10元　　　　刷色：蓝/蓝　　　　　　250~280元

民国21年(1932年)银元票

编号：S-58
面额：1角
票幅：52×103mm
刷色：红/红
收藏参考价(全新)：
160~180元

编号：S-59
面额：2角
票幅：59×110mm
刷色：绿/绿
收藏参考价（全新）：
250～300元

民国27年（1938年）银元票

编号：S-62
面额：1角
票幅：56×115mm
刷色：蓝/蓝
收藏参考价（全新）：
250～300元

编号：S-63
面额：2角
票幅：56×115mm
刷色：棕/棕
收藏参考价（全新）：
300～350元

编号：S-63(背面)

编号：S-64
面额：5角
票幅：61 × 125mm
刷色：绿／橄
收藏参考价(全新)：
400～450元

民国32年(1943年)国币本票

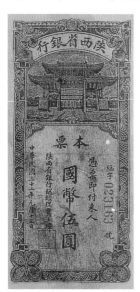

编号：S-65
面额：5元
票幅：62 × 128mm
刷色：橄／黄
收藏参考价(全新)：
250～300元

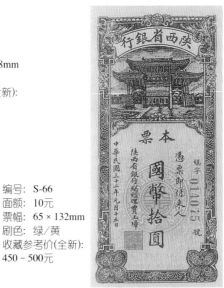

编号：S-66
面额：10元
票幅：65 × 132mm
刷色：绿／黄
收藏参考价(全新)：
450～500元

民国38年（1949年）银元辅币券

编号：S-71
面额：1角
票幅：51×123mm
刷色：红／红
收藏参考价(全新)：
90～100元

编号：S-72
面额：2角
票幅：63×125mm
刷色：蓝／蓝
收藏参考价(全新)：
180～200元

甘 肃 省

甘肃省地处中国中部地区，东邻陕西，南邻四川，西北与宁夏、蒙古、新疆、青海交界，地廓外形似哑铃，简称"甘"，省会兰州市。

本省地形狭长，东南、西北斜列，是中国湿润气候与干燥气候的过渡区，曾是中国西北国门要塞，中西文化交流的交汇地。也是汉族、蒙古族、回族、藏族等多民族集居的省份。

银行发展简史

- 光绪32年(1906)12月，甘肃当局成立"甘肃官银钱局"。
- 民国2年(1913)，张庆建督甘，改原甘肃官银钱局为甘肃官银总号，又称"甘肃官银号"，号址设于兰州。
- 民国9年(1920)，因军政费用繁多，财政局陆续向甘肃官银号透支借款300余万两，因借款未能及时偿还，以致金库空虚，所发银票不能兑现，甘肃官银号于民国11年(1922)倒闭。
- 民国11年(1922)，甘肃官银号改组为"甘肃省银行"，实际资金额14万两。
- 民国18年(1929)，甘肃省银行改组为"甘肃农工银行"，后来又将原甘肃平市官钱局并入，发行铜元券。
- 民国20年(1931)，甘肃省当局将原西北银行在甘肃的机构改组为"富陇银行"。后因超准备金滥发纸币，于1932年结束营业。
- 民国21年(1932)，甘肃农工银行改组为"甘肃省平市官钱局"。
- 民国23年(1934)，甘肃省政府筹建"甘肃农民银行"，后因故未能成立。
- 民国28年(1939)，由甘肃省政府和财政部在原甘肃省平市官钱局的基础上改组成立"甘肃省银行"。1949年7月该行结束业务。

甘肃官银号

民国3年(1914年)制钱票

编号	面额	票幅(mm)	刷色	印制	备注
T-11	1000文	86×168	棕、蓝/橄	京华印书馆	有图
T-12	10两	94×182	棕/橄	京华印书馆	有图

民国8年(1919年)官银号兑换券

编号	面额	票幅(mm)	刷色	印制	备注
T-18	1两	74×151	蓝/橄		有图
T-19	5两	90×171	蓝、橄/橄		有图

民国3年(1914年)制钱票

编号: T-11   票幅: 86×168mm   收藏参考价(全新):

面额: 1000文   刷色: 棕、蓝/橄   900~1000元

编号: T-12
面额: 10两
票幅: 94×182mm
刷色: 棕/橄
收藏参考价(全新):
2000~2500元

民国8年(1919年)官银号兑换券

编号: T-18
面额: 1两
票幅: 74×151mm
刷色: 蓝/橄
收藏参考价(全新):
1400~1500元

编号: T-19
面额: 5两
票幅: 90×171mm
刷色: 蓝、橄/橄
收藏参考价(全新):
2000~2500元

甘肃平市官钱局

民国17年（1928年）银元票

编号	面额	票幅(mm)	刷色	印制	备注
T-21	1角	63×110	蓝/绿	上海协顺	缺图
T-22	2角	68×112	红/棕	上海协顺	缺图
T-23	1元	79×144	棕/蓝	财政部印刷局	缺图
T-24	5元	83×149	绿/绿	财政部印刷局	缺图
T-25	10元	92×161	红、棕/红	财政部印刷局	缺图

民国无年份（ND）铜元券

编号	面额	票幅(mm)	刷色	印制	备注
T-31	10枚	46×100	绿/紫		有图
T-32	20枚	50×108	蓝/桔		有图
T-33	50枚	53×117	桔/蓝		有图

民国24年（1935年）银元票

编号	面额	票幅(mm)	刷色	印制	备注
T-34	5角	66×119	红/绿	大东书局	有图
T-35	5角	67×128	棕/蓝		有图

民国24年（1935年）铜元券

编号	面额	票幅(mm)	刷色	印制	备注
T-36	20枚	56×110	蓝、黄/蓝	大东书局	有图
T-37	50枚	56×110	红/蓝	大东书局	有图

民国无年份（ND）铜元券

编号：T-31
面额：10枚
票幅：46×100mm
刷色：绿/紫
收藏参考价（全新）：
180～200元

编号：T-32
面额：20枚
票幅：50×108mm
刷色：蓝/桔
收藏参考价（全新）：
200～250元

编号：T-32(背面)

编号：T-33
面额：50枚
票幅：53×117mm
刷色：桔/蓝
收藏参考价(全新)：
250～280元

民国24年(1935年)银元票

编号：T-34
面额：5角
票幅：66×119mm
刷色：红/绿
收藏参考价(全新)：
220～250元

编号：T-35
面额：5角
票幅：67×128mm
刷色：棕/蓝
收藏参考价(全新)：
180~200元

民国24年(1935年)铜元券

编号：T-36
面额：20枚
票幅：56×110mm
刷色：蓝、黄/蓝
收藏参考价(全新)：
250~300元

甘肃农民银行

民国23年(1934年)国币券

编号	面额	票幅(mm)	刷色	印制	备注
T-37	1元	73 × 124	棕/桔	大东书局	有图
T-38	5元	81 × 145	蓝/棕	大东书局	有图
T-39	10元	83 × 153	桔/棕	大东书局	有图

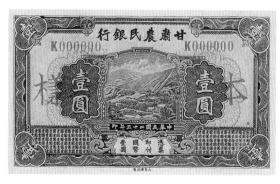

编号：T-37
面额：1元
票幅：73 × 124mm
刷色：棕/桔
收藏参考价(全新)：
250 ~ 280元

编号：T-38
面额：5元
票幅：81 × 145mm
刷色：蓝/棕
收藏参考价(全新)：
1800 ~ 2000元

编号：T-39
面额：10元
票幅：83 × 153mm
刷色：桔/棕
收藏参考价(全新)：
2300 ~ 2500元

甘肃省银行

民国38年(1949年)银元辅币本票

编号	面额	票幅(mm)	刷色	印制	备注
T-41	5分	48×102	红	甘肃省银行印刷厂	有图
T-42	1角	54×111	赭	甘肃省银行印刷厂	有图
T-43	2角	55×110	红	甘肃省银行印刷厂	有图
T-44	5角				缺图

民国38年(1949年)金圆本票

编号	面额	票幅(mm)	刷色	印制	备注
T-45	2元	59×123	红		缺图
T-46	10元	62×122	绿		有图
T-47	500元	61×118	红		缺图

民国38年(1949年)银元辅币本票

编号：T-41
面额：5分
票幅：48×102mm
刷色：红
收藏参考价(全新)：
70~80元

编号：T-42
面额：1角
票幅：54×111mm
刷色：红
收藏参考价(全新)：
90~100元

编号：T-43
面额：2角
票幅：54×111mm
刷色：赭
收藏参考价(全新)：
140~150元

编号：T-44
面额：5角
票幅：
刷色：
收藏参考价(全新)：
180~200元

青 海 省

青海省地处我国西北地区，因境内的青海湖而得名，简称青。唐宋为吐蕃地。清代，东北部设西宁府，北部为青海蒙古额鲁将部，南部为玉树土司地。1928年设置青海省。全省占地面积72万平方公里，省会西宁。

青海省境内地势高峻，一般在海拔3000米以上。西北部为柴达木盆地，南部为青藏高原，巴颜喀拉山是长江、黄河、澜沧江的源头。属于大陆性高原气候，夏凉冬寒，降水少，日照长。

青海省是我国五大牧区之一和羊毛主产地，西宁羊毛闻名世界。同时，该省矿产资源丰富，龙羊峡水电站是黄河上迄今最大的水电站。

境内的青海湖是我国最大的内陆咸水湖，湖面海拔3196米，平均水深19米，是国家重点风景名胜区，也是我国唯一的高原水禽繁殖地，湖中盛产蝗鱼。玉树隆保则是国家重点自然保护区。

银行发展简史

- 光绪20年(1931)，马麟任青海省主席。当时青海省内经济疲软，财政困难。为解决这些难题，便成立了"**青海省金库**"，并发行金库维持券，该券计有面值分为1角、1元、5元、10元四种类型，发行量为60万。之后，"**青海平市官银钱局**"又应当时经济的需求而成立，该银行隶属财政厅，发行纸币为"**财政厅维持券**"。

- 民国24年(1935)，青海省财政仍未见好转，困难依旧重重，在此情况下，马麟为应急而下令加印财政厅维持券200万。而后其侄马步芳为省主席之位与之勾心斗角，竟大批印制假维持券，后又以发现假券为借口，停止兑现财政厅维持券，此举苦了大批持券者。之后，因国民政府实施法币政策，青海市平官银钱局停办。

- 民国34年(1945)，抗日战争胜利后，甘肃当局于该年11月设立"**青海省银行**"，其目的在于负责管理省金库，当时实收资本2000万元。

- 民国36年(1947)1月4日，"**青海实业银行**"成立。由湟中公司出资法币1亿元，其幕后则由马步芳政权执掌，成为其敛财及掌控青海省金融的私人机构。

- 民国38年(1949)，国民党政府实施金元券政策彻底失败，金元券急剧贬值，继而又推行以银元为本位币。而后为应市场找零的需要，经中央银行西宁分行核准，青海实业银行发行银元辅币券，该券以银元计值，并在市面上大量流通。因时间紧迫，该券印刷粗糙，仅印单面，另一面空白，极易伪造。后因币信急跌，引起挤兑风潮。该券计有民国38年版1分、2分、5分、1角、2角、5角券六种。

青海省银行

民国24年（1935年）

编号	面额	票幅(mm)	刷色	印制	备注
Y-1	1元			财政部印刷局	缺图
Y-2	5元	84×148	红/红	财政部印刷局	缺图
Y-3	10元			财政部印刷局	缺图

青海实业银行

民国38年（1949年）银元券

编号	面额	票幅(mm)	刷色	印制	备注
Y-4	1分				缺图
Y-5	2分				缺图
Y-6	1角				缺图
Y-7	2角				缺图
Y-8	5角				缺图

民国38年（1949年）银元券

编号	面额	票幅(mm)	刷色	印制	备注
Y-11	1分			中华书局	缺图
Y-12	2分				缺图
Y-13	5分				缺图
Y-14	1角	64×139	蓝、黄/	西北文协会印刷厂	有图
Y-15	2角				缺图
Y-16	5角	61×139	棕/	西北文协会印刷厂	有图

民国38年（1949年）银元券

编号：Y-14
面额：1角
票幅：64×139mm
刷色：蓝、黄/
收藏参考价(全新)：
700～800元

编号：Y-16
面额：5角
票幅：61×139mm
刷色：棕
收藏参考价(全新)：
800～900元

宁 夏 省

　　宁夏回族自治区位于我国西北地区，地处黄河中游。因元代以宋时西夏故地设西夏中兴行省，取"夏地安宁"之意而得名。明清时置宁夏府，1928年设宁夏省，1958年10月25日成立宁夏回族自治区，简称宁。全区占地面积6.6万平方公里，自治区首府银川。

　　黄土高原和六盘山地位于该区的南部，其北部为银川平原，西起中卫县沙坡头，北至石咀山，长约320千米，最宽约40千米，是西北地区重要的商品粮基地，素有"塞上江南"的美称。属温带大陆性半干旱气候，冬寒夏凉，多风沙。

　　该区是我国裘皮羊的重要产区，以滩羊"二毛皮"和沙毛山羊皮最为珍贵。枸杞、甘草、贺兰石、滩羊裘皮、发菜谓之宁夏"红、黄、蓝、白、黑"五宝。该区的西夏王陵是国家重点风景名胜区，贺兰、六盘山为国家重点自然保护区。

银行发展简史

- 民国20年(1931)1月1日，"宁夏省银行"由当时主政宁夏的马鸿宾开办创立，资本额定为200万元，总行设于宁夏，但由于当地人民以前一直使用现钱，对于纸币的信赖度不高，所以导致宁夏金融一直未见进步。

- 民国22年(1933)，马鸿达继马鸿宾之后掌管宁夏政务。面对当时宁夏金融一直未见起色的状态，马鸿达按五成收回旧钞，发行新钞，着手整顿当地金融，新钞的准备金会同商会封存于省银行中，自此，信用开始巩固。后因孙殿英率军进攻宁夏，为抵抗孙军，筹措军费，又另发行了240万元新钞。此后继连发行纸币，到1938年春天，发行额高达645万元。

- 民国26年(1937)，抗日战争全面爆发，战事纷乱，受军事影响，宁夏省各项税收几乎全部停顿，为了弥补亏损，"宁夏省银行"又滥发纸币，便得全省金融再陷不安与混乱。

- 民国27年(1938)6月1日，宁夏省政府将宁夏省银行改组为"宁夏银行"，资本额150万元官商合办。之前宁夏省银行发行的省钞用法币以8折的兑率收回，并善用规划，力改过去积弊，希望以此激活地方金融。4年之后，效果显著，宁夏银行增资为400万元，其中商股300万元，官股100万元，同年6月，发行额在100～200万元之间。

- 民国36年(1947)9月，国民党政府公布省银行条例，将宁夏银行撤消，重组宁夏省银行，并于1948年元月1日开业，资本为10亿法币，其中国库拨付9亿元，其余1亿元由当地团体作为公股添加。同时，应找零之需，发行5分、1角、3角银元辅币券，规定其与银元比率等同流通，但商民难以认同，视为废纸。

- 民国38年(1949)5月，宁夏省银行发行银元券用以配合银元本位制度，同年9月23日，随着银川的解放，刚组建不到3年的宁夏省银行彻底结束营业。

宁夏省银行

民国21年(1932年)银元券

编号	面额	票幅(mm)	刷色	印制	备注
Z-1	1角	52×102	绿/绿	财政部印刷局	有图
Z-2	2角	58×107	蓝/绿	财政部印刷局	有图
Z-3	5元	82×154	绿	财政部印刷局	有图
Z-4	10元				缺图

民国22年(1933年)银元券

编号	面额	票幅(mm)	刷色	印制	备注
Z-5	1元				缺图
Z-6	5元				缺图
Z-7	10元				缺图

民国24年(1935年)铜元券

编号	面额	票幅(mm)	刷色	印制	备注
Z-8	10枚	60×115	蓝/蓝	北平财政部印刷局	有图
Z-9	20枚	67×123	桔、棕/蓝	北平财政部印刷局	有图
Z-10	40枚	69×125	桔/桔	北平财政部印刷局	有图

民国21年(1932年)银元券

编号：Z-1　　　　票幅：52×102mm　　　收藏参考价(全新)：
面额：1角　　　　刷色：绿/绿　　　　　350～400元

编号：Z-2　　　　票幅：58×107mm　　　收藏参考价(全新)：
面额：2角　　　　刷色：蓝/绿　　　　　550～600元

编号：Z-3
面额：5元
票幅：82×154mm
刷色：绿/
收藏参考价(全新)：
700~800元

民国24年(1935年)铜元券

编号：Z-8
面额：10枚
票幅：60×115mm
刷色：蓝/蓝
收藏参考价(全新)：
350~400元

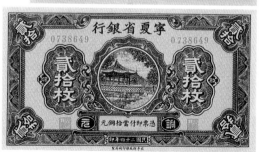

编号：Z-9
面额：20枚
票幅：67×123mm
刷色：桔、棕/蓝
收藏参考价(全新)：
550~600元

编号：Z-9(面额)

编号：Z-10
面额：40枚
票幅：69×125mm
刷色：桔/桔
收藏参考价(全新)：
550~600元

宁夏银行

民国31年(1942年)银元券

编号	面额	票幅(mm)	刷色	印制	备注
Z-11	1角		红/紫	财政部印刷局	缺图
Z-12	2角		绿/绿	财政部印刷局	缺图

民国38年(1949年)银元券

编号	面额	票幅(mm)	刷色	印制	备注
Z-13	5分				缺图
Z-14	1角	55×135	桔,红/桔红		缺图
Z-15	3角				缺图

绥 远 省

绥远省位于我国塞北地区，因清代在此置绥远将军，故得名。清代开发河套成功后，成为西北第一粮仓。东临察哈尔，南与山西、陕西为邻，西接宁夏，北邻蒙古。绥远省简称"绥"，面积为32.9万平方公里，省会归绥。

全省地形从高原为主，阴山、黄河横贯中部，可分为阴山山脉、蒙古高原、鄂尔多斯高原及河套平原。其中河套又分前套、后套，是全省精华区。阴山以北及鄂尔多斯高原为蒙人游牧区，畜产以羊毛、羊皮为主。

绥远省气候变化无常，"早穿皮袄午穿纱，抱着火炉吃西瓜"便是其真实的写照。

银行发展简史

- 光绪30年(1904)，"绥远官钱局"成立，是绥远省近代金融业的开端。
- 民国9年(1920)，当时绥远当地铜元不敷周转，财政疲乏，军民交困，绥远都统蔡成勋为了扭转这种现状，便在归绥成立了"绥远平市官钱局"，资本总额30万元，专门发行铜元券。该行性质属地方官办，却在包头设有分行，五年之后，即民国14年(1925)，该行在专发铜元券的基础上，增发了银元票。
- 民国15年(1926)，绥远平市官钱局代理了"绥远省金库"的业务。时值晋军将西北军驱逐出绥远之际，西北军的随军银行——西北银行停兑，由此引发金融连锁反应，纸币急剧贬值，该局亦受波及，此时该局的发行额已达50万元。
- 民国16年(1927)，晋奉两系军阀大动干戈，战火纷飞，民不聊生。在这种战事的严重影响下，绥远市平官钱局发行的纸币币值一跌再跌。次年(民国17年)，奉军代替晋军入主绥远，为支援本军队的军事费用，又一次从该局提取基金，使其纸币币值更是跌至6折。
- 民国19年(1930)，绥远由阎锡山所盘距掌控。中原大战爆发后，阎锡山大肆发行晋钞，此举使绥远平市官钱局发行的绥钞大受挫，不堪一跌再跌的多重打击，币值一泻千里，仅值票额的2至4折。
- 民国20年(1931)，傅作义接管治理绥远，面对一片经济混乱，金融枯涩的局面，他积极整顿金融，收回旧钞，发行新钞，同时大举扩充业务，这些有效的措施，使得绥远平市官钱局于民国23年，资本额重新增加到20万元。
- 民国26年(1937)，日本发动了"七·七"事变，随后，日本对中国发起全面进攻，该年11月，绥远平市官钱局为日伪军所接收，随后并入伪"蒙疆银行"。
- 民国29年(1940)，当时举国上下，全民抗日，为适应抗战需要，也因绥远平市官钱局已被日伪抢占，省政府便于1941年1月1日成立"绥远省银行"，资本额100万元，王国英任经理。
- 民国38年(1949)平津战役后，"绥远省银行"发行银元券用以解决军政费用，银元券发行之后，流通时间并不长，随着同年9月19日绥远的和平解放，绥远省银行也完成了它的历史使命，退出了历史的舞台。

绥远平市官钱局

民国11年(1922年)铜元票

编号	面额	票幅(mm)	刷色	印制	备注
绥-1	10枚	64×106	棕、蓝/棕		有图
绥-2	20枚	69×110	桔/蓝	财政部印刷局	有图
绥-3	30枚	70×125	桔/棕	财政部印刷局	有图

民国12年(1923年)银元票

编号	面额	票幅(mm)	刷色	印制	备注
绥-4	1元		绿/棕	财政部印刷局	缺图

民国12年(1923年)铜元票

编号	面额	票幅(mm)	刷色	印制	备注
绥-5	20枚		紫、绿/棕		缺图
绥-6	30枚	71×131	红、蓝/紫	财政部印刷局	缺图

民国14年(1925年)银元票

编号	面额	票幅(mm)	刷色	印制	备注
绥-7	1元	66×118			缺图
绥-8	5元	66×124			缺图

民国14年(1925年)铜元票

编号	面额	票幅(mm)	刷色	印制	备注
绥-9	10枚	48×94	橄、绿/蓝	财政部印刷局	有图
绥-10	30枚	71×130	桔/棕	财政部印刷局	有图

民国16年(1927年)铜元票

编号	面额	票幅(mm)	刷色	印制	备注
绥-11	10枚	61×112	红/红		有图
绥-12	50枚	54×116			缺图

民国17年(1928年)银元票

编号	面额	票幅(mm)	刷色	印制	备注
绥-13	1元	78×141	棕/棕	财政部印刷局	有图
绥-14	5元	80×148	红/红	财政部印刷局	有图

民国19年(1930年)银元票

编号	面额	票幅(mm)	刷色	印制	备注
绥-15	1元	77×140	绿/绿	西北印刷厂	有图
绥-16	5元	81×147	蓝/蓝	西北印刷厂	有图
绥-17	10元	87×150	桔/桔	西北印刷厂	有图
绥-18	1元			财政部印刷局	缺图
绥-19	5元			财政部印刷局	缺图
绥-20	10元	86×150	红/红	财政部印刷局	缺图

民国21年(1932年)银元票

编号	面额	票幅(mm)	刷色	印制	备注
绥-21	1角	59×106	绿/绿	财政部印刷局	有图
绥-22	2角		红/红	财政部印刷局	缺图

民国21年(1932年)铜元票

编号	面额	票幅(mm)	刷色	印制	备注
绥-23	10枚	59×106	蓝/蓝、黄	西北印刷厂	有图
绥-24	20枚	63×113	绿/绿	西北印刷厂	有图
绥-25	50枚		紫/蓝、紫	西北印刷厂	缺图

民国24年(1935年)银元票

编号	面额	票幅(mm)	刷色	印制	备注
绥-26	1角	48×93	蓝/蓝	西北印刷厂	有图
绥-27	2角	51×105	棕/棕	西北印刷厂	有图
绥-28	5角	68×112	蓝/棕	西北印刷厂	缺图
绥-29	1元	73×143		西北印刷厂	有图
绥-30	5元	80×158		西北印刷厂	有图
绥-31	10元	78×145		西北印刷厂	缺图

民国11年(1922年)铜元票

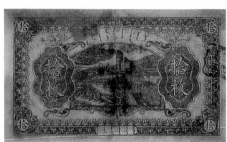

编号：绥-1
面额：10枚
票幅：64×106mm
刷色：棕、蓝/棕
收藏参考价(全新)：
400~450元

编号：绥-2
面额：20枚
票幅：69×110mm
刷色：桔/蓝
收藏参考价(全新)：
700~800元

编号：绥-2(背面)

编号：**绥-3**
面额：30枚
票幅：70 × 125mm
刷色：桔/棕
收藏参考价(全新)：
400 ~ 450元

民国14年(1925年)铜元票

编号：**绥-9**
面额：10枚
票幅：48 × 94mm
刷色：橄、绿/蓝
收藏参考价(全新)：
400 ~ 450元

编号：绥-10
面额：30枚
票幅：71 × 130mm
刷色：桔/棕
收藏参考价(全新)：
400～450元

民国16年(1927年)铜元票

编号：绥-11
面额：10枚
票幅：61 × 112mm
刷色：红/红
收藏参考价(全新)：
350～400元

民国17年(1928年)银元票

编号：绥-13
面额：1元
票幅：78×141mm
刷色：棕/棕
收藏参考价(全新)：
250～300元

编号：绥-14
面额：5元
票幅：80×148mm
刷色：红/红
收藏参考价(全新)：
350～400元

民国19年(1930年)银元票

编号：绥-15
面额：1元
票幅：77×140mm
刷色：绿/绿
收藏参考价(全新)：
400～430元

编号：绥-16
面额：5元
票幅：81×147mm
刷色：蓝/蓝
收藏参考价(全新)：
600～700元

编号：绥-17
面额：10元
票幅：87×150mm
刷色：桔/桔
收藏参考价(全新)：
700~800元

民国21年(1932年)银元票

编号：绥-21
面额：1角
票幅：59×106mm
刷色：绿/绿
收藏参考价(全新)：
400~450元

民国21年(1932年)铜元票

编号：绥-23
面额：10枚
票幅：59×106mm
刷色：蓝/蓝、黄
收藏参考价(全新)：
450~500元

编号：绥-24
面额：20枚
票幅：63×113mm
刷色：绿/绿
收藏参考价(全新)：
450~500元

民国24年（1935年）银元票

编号：绥-26
面额：1角
票幅：48×93mm
刷色：蓝/蓝
收藏参考价(全新)：
300~350元

编号：绥-27
面额：2角
票幅：51×105mm
刷色：棕/棕
收藏参考价(全新)：
300~350元

编号：绥-29
面额：1元
票幅：73×143mm
刷色：绿/绿
收藏参考价(全新)：
400～450元

编号：绥-30
面额：5元
票幅：80×158mm
刷色：蓝/蓝
收藏参考价(全新)：
400～450元

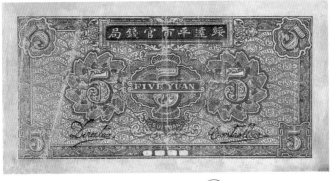

绥远省银行

民国38年(1949年)银元券

编号	面额	票幅(mm)	刷色	印制	备注
绥-41	5分	40×75	红	绥远晚报社	缺图
绥-42	1角	58×100	红	社会处印刷厂	有图
绥-43	2角		绿	社会处印刷厂	缺图
绥-44	5角	58×110	蓝	社会处印刷厂	有图
绥-45	1元	64×124		绥远省印刷厂	缺图
绥-46	5元			绥远省印刷厂	缺图

编号：绥-42
面额：1角
票幅：58 × 100mm
刷色：红
收藏参考价(全新)：
500～600元

编号：绥-44
面额：5角
票幅：58 × 110mm
刷色：蓝
收藏参考价(全新)：
650～700元

西康省

　　西康省位于我国西南部，因其古时为西藏康地，故得此名。西康省占地面积45.1万平方公里，省会康定，简称"康"。

　　该省东接四川，南连印度和云南，西邻西藏，北接青海。该省的地形非常特殊，除了西北部以外，全部属于纵谷地形，山河南北纵走，相间排列，山岭高峻，河谷狭长，全省高度几乎都超过三千米，高峰常超出五千米，终年积雪不消的高山很多。由于地形的影响，因此自谷底到山顶产生了"一山有四季，十里不同天"的不同气候。因山高坡陡，河川往往湍急多险滩，交通发展十分困难，所以人烟稀少，缺乏大都市；而丰富的森林资源，水力资源和矿产资源亦难以开发，只有东南部和川、滇两省交界地带，农业较盛，盛产"青稞"。

银行发展简史

- 光绪25年(1936)，西康成立省委员会，而当时西康境内尚无银行钱庄，币制混乱，金融无规，汇兑困难。境内喇嘛又大肆高利贷剥削，人民深受其害，于是筹办"**西康省银行**"，并于第二年成立董监会，董事长由李先春担任。

- 民国26年(1937)8月，西康省银行宣告正式开业，资本额定50万元，实收25万元，全为官股，总行设于康定。据记载，该行资本时至1939年10月才收足50万元。

- 民国27年(1938)10月，由于西康人民一贯行使的货币为硬币，一时之间，难以对纸币有明确的认识，由此产生信誉不足，导致纸币在西康境内的流通使用困难重重。为解决该难题，该省委员会呈请财政部核准发行藏币券，希望通过此举养成康藏人民行使纸币的习惯。

- 民国28年(1939)8月及民国29年(1940)10月，西康先后两次发行藏币。该币行使之初，情况并不乐观，人民因不适应而深感恐惧。幸亏该券上所印文字为藏文，康藏人民可由此得到辨认，后经多方苦心宣传，才使得该币渐行流通。之后，法币也随着藏币在西康的行使而渐渐地在市面上流通了。

- 民国34年(1945)，西康省银行随着抗日战争的胜利，增加资本为1000万，并设立办事处遍布汉口、南京、上海等地。

西康省银行

民国28年(1939年)藏币券

编号	面额	票幅(mm)	刷色	印制	备注
西-1	半元	61×109	红、黄/红	财政部印刷局	有图
西-2	1元	67×126	绿、黄/蓝、桔	财政部印刷局	有图
西-3	5元	72×142	棕/棕	财政部印刷局	有图

民国38年(1949年)银元券

编号	面额	票幅(mm)	刷色	印制	备注
西-4	1角	55×105	蓝/蓝	啓文印刷厂	有图
西-5	2角	57×107	棕/棕	啓文印刷厂	有图
西-6	5角	57×107	桔/桔	啓文印刷厂	有图

民国28年(1939年)藏币券

编号：西-1
面额：半元
票幅：61×109mm
刷色：红、黄/红
收藏参考价(全新)：
600~700元

编号：西-2
面额：1元
票幅：67×126mm
刷色：绿、黄/蓝、桔
收藏参考价(全新)：
700~800元

编号：西-3
面额：5元
票幅：72 × 142mm
刷色：棕/棕
收藏参考价（全新）：
1000～1200元

民国38年（1949年）银元券

编号：西-4
面额：1角
票幅：55 × 105mm
刷色：蓝/蓝
收藏参考价（全新）：
800～900元

编号：西-5
面额：2角
票幅：57×107mm
刷色：棕/棕
收藏参考价(全新)：
800~900元

编号：西-6
面额：5角
票幅：57×107mm
刷色：桔/桔
收藏参考价(全新)：
800~900元

新 疆 省

新疆维吾尔自治区位于我国西北边疆，与多国接壤，且开发较晚，故得名新疆，简称新。汉朝时属西域都护府，宋为西辽地域，清朝光绪十年(1884)年置新疆省。1955年10月1日成立新疆维吾尔自治区，全区面积为160多万平方千米，自治区首府乌鲁木齐。

新疆维吾尔自治区境内群山环绕，北有阿尔泰山，南有昆仑山和阿尔金山，天山横贯中部，把全区分为塔里木盆地和准噶尔两大盆地，塔克拉玛干沙漠是我国最大，世界第二大沙漠，吐鲁番盆地是我国最低的盆地，塔里木河是我国最大的内陆河。属温带干旱大陆性气候，雨量稀少，年温差和日温差大。

该区的吐鲁蕃萄葡、鄯善哈蜜瓜、库尔勒香梨、伊宁苹果闻名中外。天山天池是国家重点风景名胜区，天山雪莲亦久负盛名，哈纳斯巴音布鲁克，阿尔金山是国家重点自然保护区。喀什是我国的历史文化名城。

银行发展简史

- 光绪11年(1885)新疆设省，光绪15年(1889)12月，新疆巡抚刘锦堂下令拨银1万两开办"新疆官钱总局"，又名"迪化官钱局"，成立初期即发行印有"新疆官钱总局"字样的油布票(红钱票)，每张为红钱400文，作银一两，该局还发行银两票，面值银10两。同年，"伊犁官钱总局"在伊犁将军色勒额的奏请之下成立，同时，喀什道袁尧龄也上奏呈请设立"喀什官钱局"，两局均发行400文红钱纸币。

- 光绪18年(1892)，伊犁官钱总局在惠远新城设立官钱局，并于两年之后将绥定官钱局并入，光绪33年(1907)伊犁官钱局改组重新成立，至宣统三年，该局仅有资本50余万两，而二局之空票却多达160余万两。

- 光绪28年(1902)8月，"阿克苏官钱局"应阿克苏道江遇璞之呈请而得以成立，成立之后所印纸币为洋纸花票。

- 辛亥革命后，杨增新入主新疆执掌政务，当时因战事不断，政局动荡而导致财政困难，为改变这种困状，杨增新决定大量发行纸币以解决问题。谁知，此举一发不可收拾，在其后的军阀混乱时期更是达到了滥发无节制的地步。进入民国后，新疆官钱总局印发的纸币仍有流通，但各地分局则多缴本停办，后来新疆纸币改为由财政厅负责，官钱局专司纸币兑现，有时也发行油布票。民国17年(1928)新疆发生"七·七"政变，新疆官钱总局，也随着金树仁的上台执政而宣告停业。

- 民国19年(1930)，"**新疆省银行**"在新疆新执政者金树仁的领导下于该年七月正式成立。3年之后的民国22年，盛世才在"四月革命"爆发后，取代金树仁督办主持省政务，在其力谋改革的措施之下，该地金融事业略有进展。民国23年8月31日，该行发行新疆省银行期票，性质类似兑换券，可代替现金使用。

- 民国26年(1937)，抗日战争爆发，新疆当地的金融受军事影响，经济疲软，财政困乏，该地纸币一路狂跌，最后几同废纸。两年之后的民国28年(1939)，"**新疆商业银行**"在新疆省银行的改组下于1月宣告成立，同时推出废两改元、扩大营业范围等新举措，资本为500万元，官商合办，其中商股200万元，官股300万元，同年三月一日发行新纸币2000万元。

- 民国34年(1945)，抗日战争的胜利并未给新疆的金融经济带来转机，通货膨胀仍大规模地遍布新疆全省各地。

- 民国37年(1948)11月，省政府重新将新疆商业银行改回新疆省银行。可惜通货膨胀并未因新银行的成立、新币的发行而有所停止，面对纸币贬值的主流，为适应这种需要，币值不得不如高山爆布般一泻千里，最后竟"成就"了"60亿元一张的新币"如此金融史上绝无仅有，空前绝后的"奇迹"。

新疆商业银行

民国28年（1939年）

编号	面额	票幅(mm)	刷色	印制	备注
新-1	1分	56×100	黄、绿/棕	新疆印刷厂	有图
新-2	3分	61×98	青/青	新疆印刷厂	有图
新-3	5分	64×103	桔/桔	新疆印刷厂	有图
新-4	1角	68×110	绿/绿	新疆印刷厂	有图
新-5	2角	71×121	紫/紫	新疆印刷厂	有图
新-6	5角	75×127	红/红	新疆印刷厂	有图
新-7	1元	78×153	红/红	新疆印刷厂	有图
新-8	3元	89×142	蓝/蓝	新疆印刷厂	有图
新-9	5元	89×145	棕/棕	新疆印刷厂	有图
新-10	10元	90×148	紫、蓝/紫、蓝	新疆印刷厂	有图
新-11	50元	66×157	棕、绿/棕	新疆印刷厂	有图
新-12	100元	76×162	红/紫	新疆印刷厂	有图

民国29年（1940年）

编号	面额	票幅(mm)	刷色	印制	备注
新-13	10元	84×166	紫/紫	新疆印刷厂	有图

民国32年（1943年）

编号	面额	票幅(mm)	刷色	印制	备注
新-14	5元	71×158	绿/绿	新疆印刷厂	有图
新-15	10元	72×160	紫/绿	新疆印刷厂	有图

民国34年（1945年）

编号	面额	票幅(mm)	刷色	印制	备注
新-16	200元	70×162	紫/棕	新疆印刷厂	有图

民国35年（1946年）

编号	面额	票幅(mm)	刷色	印制	备注
新-17	100元	76×160	桔/蓝	新疆印刷厂	有图
新-18	500元	70×161	棕/绿	新疆印刷厂	有图

民国36年（1947年）

编号	面额	票幅(mm)	刷色	印制	备注
新-19	2000元	63×155	红、蓝/红	新疆印刷厂	有图
新-20	5000元	63×157	红、蓝/红	新疆印刷厂	有图
新-21	1万元	72×148	绿、褐/褐	新疆印刷厂	有图
新-22	2万元	66×153	蓝、黄/蓝	新疆印刷厂	有图

民国37年（1948年）

编号	面额	票幅(mm)	刷色	印制	备注
新-23	10万元	63×156	红、黄/红	新疆印刷厂	有图
新-24	20万元	69×155	紫、棕/紫	新疆印刷厂	有图
新-25	50万元	73×166	绿、蓝/绿	新疆印刷厂	有图

民国28年(1939年)

编号：新-1　　票幅：56×100mm

面额：1分　　刷色：黄、绿/棕

收藏参考价(全新)：
70～80元

编号：新-2　　票幅：61×98mm

面额：3分　　刷色：青/青

收藏参考价(全新)：
90～100元

编号：新-3　　票幅：64×103mm

面额：5分　　刷色：桔/桔

收藏参考价(全新)：
130～150元

编号：新-4
面额：1角
票幅：68×110mm
刷色：绿/绿
收藏参考价(全新)：
170～200元

编号：新-5
面额：2角
票幅：71×121mm
刷色：紫/紫
收藏参考价(全新)：
170～200元

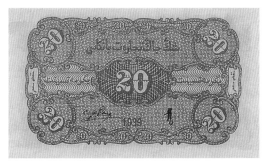

编号：新-6
面额：5角
票幅：75×127mm
刷色：红/红
收藏参考价(全新)：
300～350元

编号：新-7
面额：1元
票幅：78×153mm
刷色：红/红
收藏参考价(全新)：
350～400元

编号：新-8
面额：3元
票幅：89×142mm
刷色：蓝/蓝
收藏参考价(全新)：
700～800元

编号：新-9
面额：5元
票幅：89×145mm
刷色：棕/棕
收藏参考价(全新)：
500～600元

编号：新-10　　　票幅：90×148mm　　　收藏参考价(全新)：
面额：10元　　　刷色：紫、蓝/紫、蓝　　　500～600元

编号：新-11
面额：50元
票幅：66×157mm
刷色：棕、绿/棕
收藏参考价(全新)：
700～800元

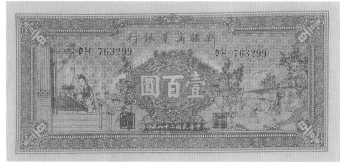

编号：新-12
面额：100元
票幅：76×162mm
刷色：红/紫
收藏参考价(全新)：
500～600元

民国29年（1940年）

编号：新-13
面额：10元
票幅：84×166mm
刷色：紫/紫
收藏参考价(全新)：
600～700元

民国32年(1943年)

编号: 新-14
面额: 5元
票幅: 71×158mm
刷色: 绿/绿
收藏参考价(全新):
450~500元

编号: 新-15
面额: 10元
票幅: 72×160mm
刷色: 紫/绿
收藏参考价(全新):
450~500元

民国34年（1945年）

编号：新-16
面额：200元
票幅：70×162mm
刷色：紫/棕
收藏参考价(全新)：
200～250元

民国35年（1946年）

编号：新-17
面额：100元
票幅：76×160mm
刷色：桔/蓝
收藏参考价(全新)：
800～900元

编号：新-18
面额：500元
票幅：70×161mm
刷色：棕/绿
收藏参考价(全新)：
250～300元

民国36年（1947年）

编号：新-19
面额：2000元
票幅：63×155mm
刷色：红、蓝/红
收藏参考价(全新)：
250～300元

编号：新-20
面额：5000元
票幅：63×157mm
刷色：红、蓝/红
收藏参考价(全新)：
600~700元

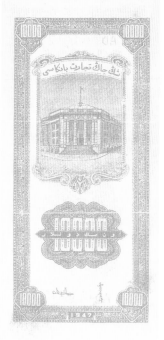

编号：新-21
面额：1万元
票幅：72×148mm
刷色：绿、褐/褐
收藏参考价(全新)：
200~250元

编号：新-22
面额：2万元
票幅：66×153mm
刷色：蓝、黄/蓝
收藏参考价(全新)：
200~250元

民国37年(1948年)

编号：新-23
面额：10万元
票幅：63×156mm
刷色：红、黄/红
收藏参考价(全新)：
700~800元

编号：新-24
面额：20万元
票幅：69×155mm
刷色：紫、棕/紫
收藏参考价(全新)：
700～800元

编号：新-25
面额：50万元
票幅：73×166mm
刷色：绿、蓝/绿
收藏参考价(全新)：
750～850元

新疆省银行

民国37年（1948年）

编号	面额	票幅(mm)	刷色	印制	备注
新-26	100万元	73×168	红、橙/紫、蓝	新疆印刷厂	有图
新-27	300万元	62×148	青、绿/紫	新疆印刷厂	有图
新-28	600万元	70×158	蓝、黄/橄	新疆印刷厂	有图

民国38年（1949年）

编号	面额	票幅(mm)	刷色	印制	备注
新-29	3000万元	62×145	褐/褐	新疆印刷厂	有图
新-30	6000万元	62×144	青/红	新疆印刷厂	有图
新-31	6亿元	62×146	红、绿/蓝	新疆印刷厂	有图
新-32	30亿元	60×144	褐/褐	新疆印刷厂	有图
新-33	60亿元	61×144	紫/紫	新疆印刷厂	有图

民国38年（1949年）银元券

编号	面额	票幅(mm)	刷色	印制	备注
新-41	1分	47×100	蓝/蓝	新疆印刷厂	有图
新-42	5分	51×106	紫/紫	新疆印刷厂	有图
新-43	1角	58×113	红/红	新疆印刷厂	有图
新-44	2角	57×113	紫/紫	新疆印刷厂	有图
新-45	5角	56×112	棕/棕	新疆印刷厂	有图
新-46	1元	55×134	蓝/蓝	新疆印刷厂	有图
新-47	5元	58×149	桔/棕	新疆印刷厂	有图
新-48	10元	65×155	蓝/桔	新疆印刷厂	有图

民国37年（1948年）

编号：新-26
面额：100万元
票幅：73×168mm
刷色：红、橙/紫、蓝
收藏参考价(全新)：
700～800元

编号: 新-27
面额: 300万元
票幅: 62×148mm
刷色: 青、绿/紫
收藏参考价(全新):
600~700元

编号: 新-28
面额: 600万元
票幅: 70×158mm
刷色: 蓝、黄/橄
收藏参考价(全新):
400~450元

民国38年(1949年)

编号：新-29
面额：3000万元
票幅：62×145mm
刷色：褐/褐
收藏参考价(全新)：
380~400元

编号：新-30
面额：6000万元
票幅：62×144mm
刷色：青/红
收藏参考价(全新)：
600~700元

编号：新-31
面额：6亿元
票幅：62×146mm
刷色：红、绿/蓝
收藏参考价(全新)：
1800～2000元

编号：新-32
面额：30亿元
票幅：60×144mm
刷色：褐/褐
收藏参考价(全新)：
3000～3500元

编号：新-33
面额：60亿元
票幅：61×144mm
刷色：紫/紫
收藏参考价（全新）：
3500~4000元

民国38年（1949年）银元券

编号：新-41
面额：1分
票幅：47×100mm
刷色：蓝/蓝
收藏参考价（全新）：
120~150元

编号：新-42
面额：5分
票幅：51×106mm
刷色：紫/紫
收藏参考价（全新）：
120~150元

编号：新-42(背面)

编号：新-43
面额：1角
票幅：58×113mm
刷色：红/红
收藏参考价(全新)：
200～250元

编号：新-44
面额：2角
票幅：57×113mm
刷色：紫/紫
收藏参考价(全新)：
180～200元

编号：新-45
面额：5角
票幅：56×112mm
刷色：棕/棕
收藏参考价(全新)：
200～250元

编号：新-46
面额：1元
票幅：55×134mm
刷色：蓝/蓝
收藏参考价(全新)：
900～1000元

编号：新-47
面额：5元
票幅：58×149mm
刷色：桔/棕
收藏参考价(全新)：
500～600元

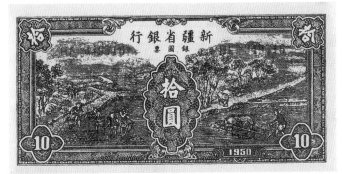

编号：新-48
面额：10元
票幅：65×155mm
刷色：蓝／桔
收藏参考价(全新)：
500～600元

参考文献

1.《中国各省地方银行纸币图录》赵隆业　中国社会科学出版社　1992年

2.《中国历代货币大系·第九卷》马飞海总主编　吴筹中　郭彦岗　张继凤主编　上海辞书出版社　2001年

3.《原色省银行纸币图说》许义宗著　台北出版　1995年

4.《中国近代纸币》戴建兵著　中国金融出版社　1993年

5.《中国纸币标准图录》北京钱币学会　北京出版社　1994年

6.《中国纸币的收藏与研究》赵隆业著　北京出版社　1999年

7.《云南历史货币》汤国彦主编　云南人民出版社　1989年

8.《甘肃历史货币》甘肃钱币学会编　兰州大学出版社　1989年

9.《新疆钱币》本图册编组委员会编　新疆美术摄影出版社和香港文化教育出版社　1991年

10.《四川近现代纸币图录》高文、袁愈高编　四川大学出版社　1994年

11.各省钱币学会编写的文献资料和期刊

感谢

　　本书能顺利成稿出版，除了参考借鉴各种文献资料外，从筹备到成稿离不开众多的纸币收藏专家及学者的帮助和支持，纷纷提供了许多珍贵的纸币实物及图片，更在百忙之中不辞劳苦、仔细认真斟定本书的收藏参考价。他们分别是：北京—房宜林、李志维、何劲光、陈为民；上海—赵国年、李树森；广州—冯艺钱、陈国基、唐其昌、司徒兆华等等，感谢他们的辛劳付出，亦对在本书的编辑中给予热心帮助的众多良师益友一并致谢。

主要城市收藏品自由交易市场

北　京：①东三环南路华威桥古玩城②琉璃厂东街海王村钱币市场③天坛红桥古玩市场④朝阳区亮马桥收藏品市场⑤潘家园钱币市场⑥报国寺古玩市场　⑦北三环马甸桥东宜美嘉邮币卡市场⑧黄寺北大街福丽特邮币卡市场⑨崇文门东单邮币卡市场⑩北三环大钟寺邮币卡市场⑪德胜门城楼古钱币博物馆

上　海：①东台路古玩市场②老北门福石路民间文市场③昌平路888号古玩市场④局门路600号卢工邮币市场⑤大木桥88号云洲商厦云洲邮币市场⑥天目西路188号不夜城邮币市场

广　州：①海珠中路288号中圆收藏品市场②文昌路古币市场③西关古玩城④应元大厦大龙邮币市场⑤带河路源胜街古玩市场⑥逢源路古玩市场

武　汉：①航空路邮币市场②崇仁路收藏品市场③汉口前三眼桥文物市场④保城路口的泰宁街市场⑤宜昌广场路的旅游古玩市场

南　京：①大方巷邮币市场②朝天宫古玩市场

郑　州：①淮河路古玩城②大学路收藏品市场③中原路绿城广场古玩市场

西　安：①城东万寿路八仙宫收藏品市场②小东门艺术品古玩市场③朱雀大街西安古玩城④解放路华山邮币市场⑤和平门金泉钱币博物馆

哈尔滨：①道外区旧物市场②海城街140号邮币卡市场③东大直街大世界商城收藏品市场

成　都：①大发邮币卡市场②青华路36号文物古玩市场③送仙桥艺术城

天　津：①海河电器城古玩市场②和平区热和路古玩市场③文庙古玩城

杭　州：①长明寺邮币市场②第二百货大楼旁的收藏品市场③延安路古玩市场

重　庆：①沙坪坝南开城步行街邮币卡市场②中兴路中收藏品市场

长　沙：①八一路古玩一条街②清水塘古玩一条街③五一广场工人文化宫

银　川：西塔古玩市场　　　　　　沈　阳：怀远门和太原街两个收藏品市场

济　南：英雄山下古玩市场　　　长　春：重庆路和平大世界藏品市场

苏　州：人民路文庙收藏品市场　太　原：文庙巷24号文庙收藏品市场

合　肥：花冲公园附近收藏品市场及城隍庙市场　　南　宁：望州岭和工人文化宫两个收藏品市场

兰　州：张掖路皇庙和白塔山公园西侧两个市场　　珠　海：拱北中珠大厦收藏品市场

厦　门：白鹭洲古玩城　　深　圳：深圳书城6楼和工人文化宫两个市场

福　州：六一路古玩藏品市场　香　港：摩罗街荷里活道古玩市场